# Cultura brasileira

Marcos Napolitano

# Cultura brasileira

## utopia e massificação (1950-1980)

*Coordenação de textos*
Carla Bassanezi Pinsky

*Preparação de textos*
Sandra Regina de Souza

*Revisão*
Kika de Freitas
Mayara Cristina Zucheli

*Criação, projeto e montagem de capa*
Antonio Kehl

Dados Internacionais de Catalogação na Publicação (CIP)
(Câmara Brasileira do Livro, SP, Brasil)

Napolitano, Marcos
Cultura brasileira: utopia e massificação (1950-1980)/
Marcos Napolitano. – 4. ed. – São Paulo : Contexto, 2025. –
(Repensando a História).

Bibliografia
ISBN 978-85-7244-157-5

1. Cultura – Brasil – História. I. Título. II. Série.

00-4790 CDD-981

Índice para catálogo sistemático:
1. Brasil: Cultura: Civilização: História 981

2025

EDITORA CONTEXTO
Diretor editorial: *Jaime Pinsky*

Rua Dr. José Elias, 520 – Alto da Lapa
05083-030 – São Paulo – SP
PABX: (11) 3832 5838
contato@editoracontexto.com.br
www.editoracontexto.com.br

## Sumário

# Introdução

Talvez o leitor já conheça aquela anedota que diz como se pode pegar um jacaré usando um livro chato, um binóculo, uma pinça e uma caixa de fósforos. Se não conhece, vamos lá: leia o livro chato para o jacaré. Ele dormirá. Olhe para o bicho inerte com o binóculo invertido. A imagem do jacaré ficará pequena, bem pequena. Devidamente minimizado, o jacaré poderá ser apanhado com a pinça e colocado na caixa de fósforos, virando uma peça de coleção.

Essa anedota, um tanto surreal, serve para exemplificar certa maneira de olhar e analisar a cultura brasileira, muito comum entre especialistas e leigos, da qual tentamos nos afastar ao longo deste livro. Um olhar que a transforma em algo chato e inerte, para depois ser pinçada e isolada da realidade social mais ampla. Neste livro optamos por uma perspectiva que procura enfatizar a cultura brasileira como viva, dinâmica, fugidia e inserida na realidade de todos nós, cidadãos à procura de uma identidade. Algo impossível de ser classificado fria e objetivamente, na medida em que é o caleidoscópio de um país, em si mesmo, contraditório, dinâmico e plural.

Falar de cultura brasileira é, antes de tudo, falar de um enigma que nos persegue desde que nos tornamos uma nação independente. A questão da cultura nacional está ligada à necessidade de respondermos, para nós mesmos e para o mundo, "quem somos" e "o que queremos" para o nosso país. Obviamente, as respostas a essas perguntas não podem ser únicas, numa sociedade dividida, contrastante e conflituosa como a brasileira. Assim, tais respostas têm variado muito desde então, expressando, principalmente, o variado leque de discursos e ações dos vários atores sociais e políticos envolvidos na construção desse mosaico chamado cultura brasileira: intelectuais, artistas, políticos, cidadãos comuns das mais variadas origens. Neste livro, vamos tentar mapear os vários caminhos pelos quais se pensou e viveu a vida cultural em nosso país entre, aproximadamente, 1950 e 1980. Para tal, enfatizamos as várias expressões artísticas – cinema, teatro, música, artes plásticas, literatura etc. – que surgiram nesse período e os dilemas nacionais que o debate cultural e estético traduziram e equacionaram.

O período de 1950 a 1980 é muito importante na medida em que nele se gerou um conjunto de representações simbólicas de Brasil e de povo brasileiro que até hoje atua em nossas consciências. Além desse aspecto simbólico, foi ao longo das três décadas que se formou a moderna indústria cultural brasileira, que se constituiu no grande fenômeno sociocultural dos últimos trinta anos do século XX. Paralelamente ao surgimento da moderna indústria cultural brasileira, entre 1950 e 1980, questões como a busca da superação do subdesenvolvimento, grande tema dos anos 1950 e 1960, ou a necessidade de exercer uma resistência ao regime militar implantado em 1964, ocuparam e direcionaram a cena cultural, sobretudo aquela ligada aos segmentos políticos e sociais mais progressistas. Nesse sentido, as três décadas marcaram o auge da cultura engajada, que buscava refletir e representar o Brasil tal como ele era, com seus conflitos e contradições. Mas as chamadas forças conservadoras, em parte ligadas à indústria cultural ou ao próprio Estado, sobretudo após o golpe militar de 1964, não ficaram passivas e apresentaram suas próprias respostas e projetos para o Brasil.

O período em questão também é importante para entendermos as mudanças no âmbito da cultura popular. O velho Brasil rural, de comunidades camponesas e semirrurais, passou a coexistir com um Brasil cada vez mais urbanizado e industrializado, sobretudo a partir do final dos anos 1950. No âmbito da cultura popular, esse processo representou o cruzamento de elementos imemoriais, ditos folclóricos, com elementos de uma cultura cada vez mais ligada ao lazer urbano das novas massas trabalhadoras. Por sua vez, a "cultura de elite" tradicional, herdada do século XIX, também passou a coexistir com novos meios e linguagens artístico-culturais modernos e cosmopolitas.

Longe de tentarmos responder, de maneira inequívoca, "o que é" a cultura brasileira, vamos tentar mostrar as diversas respostas para essa pergunta. Obviamente, muita coisa importante será deixada de lado, em razão dos limites de espaço e da natureza deste pequeno livro. Mas esperamos que o leitor sinta-se estimulado a buscar mais informações e elaborar suas próprias reflexões sobre a vida cultural da sociedade em que vive. No final do livro, sugerimos uma lista de obras, das mais variadas áreas artístico-culturais, para que o leitor possa conhecer um pouco mais o grande patrimônio cultural brasileiro, produzido nas três décadas em questão.

Enfim, ao longo do livro, tentaremos dar conta desse amplo e complexo universo chamado cultura brasileira, sem minimizá-lo ou torná-lo inerte e meramente decorativo, como o jacaré da anedota.

# Sonhando com a modernidade: a cultura brasileira nos anos 1950

## A NOVA CULTURA de massa: cinema e rádio nos anos 1950

No final dos anos 1940, o Brasil era um país recém-democratizado e que sonhava em se tornar moderno e industrializado. As divisas acumuladas ao longo da Segunda Guerra, durante a qual o Brasil foi um importante fornecedor de produtos para os aliados (sobretudo agrícolas e de matéria-prima industrial), tinham rapidamente se esgotado, sem que o país tivesse entrado num estágio industrial superior. A volta de Getúlio Vargas ao poder, eleito pelo voto popular em 1950, consolidou uma nova forma de política de massas: o populismo. A partir de então, os diversos níveis do poder político, exercido com o sustentáculo de partidos organizados em escala nacional (os mais importante eram o PSD – Partido Social Democrático –, o PTB – Partido Trabalhista Brasileiro – e a UDN – União Democrática Nacional), tinham como interlocutor o povo, visto pelas lideranças como um todo orgânico e sem conflitos. Ainda que hesitasse em consolidar uma democratização efetiva das grandes decisões políticas nacionais, o populismo nacionalista de Getúlio Vargas prometia libertar o país do subdesenvolvimento, realizando uma política de industrialização com base em grandes empresas estatais, como a Eletrobrás, a Petrobrás e o Banco Nacional de Desenvolvimento Econômico, criadas durante o seu governo (1951-1954).

Um ano antes da eleição de Getúlio Vargas (PTB), na qual ele derrotou os seus adversários do PSD e da UDN, houve outra eleição bastante disputada: a de "Rainha do Rádio". Se o cargo não era tão fundamental para os destinos da nação, como o de presidente da República, a eleição movimentou as paixões populares tanto quanto a eleição presidencial. O concurso de "Rainha do Rádio" havia sido reorganizado em 1948 pela Associação Brasileira do Rádio e, naquele ano, a cantora Dircinha Batista havia sido eleita. Mas foi em 1949 que a coisa pegou fogo. A favorita da Marinha, Emilinha Borba (Emília Savana da Silva Borba), jovem cantora de origem pobre do subúrbio do Rio de janeiro, perdeu a eleição para a paulista Marlene (Vitória Bonaiutti de Martino). Na verdade, a eleição era feita a partir da compra de cupons, parte integrante das populares revistas de rádio da época, e a Antarctica, empresa de refrigerantes, comprara os cupons para a eleição da cantora Marlene. Os fãs das duas cantoras, ambas contratadas da Rádio Nacional, a maior emissora da época, iniciaram uma rivalidade histórica, amplamente estimulada pelos meios de comunicação e que até hoje é lembrada pelos mais velhos. Emilinha Borba só viria a ser eleita em 1953, depois de uma ampla mobilização de seu fã-clube, que conseguiu reunir um milhão de votos. Mas, como e por que uma simples eleição simbólica, embora comercialmente importante para a carreira das cantoras, conseguia movimentar tantas paixões? A resposta pode estar na importância que o rádio tinha na vida das massas urbanas.

A sociedade brasileira, sobretudo as cidades do Rio de janeiro e São Paulo, assistia a um considerável processo de urbanização desde as primeiras décadas do século XX. Mas foi na segunda metade dos anos 1940 que este processo se intensificou, mantendo índices impressionantes até os anos 1970. Obviamente, não se pode falar de urbanização no Brasil, sem citar dois fenômenos correlatos: migração (do norte para o sul e do interior para a capital) e industrialização. Os migrantes, seja das áreas rurais do Centro-Sul seja do Nordeste como um todo, se tornaram a base social das novas camadas populares urbanas, somando-se aos descendentes dos escravos e ex-escravos e imigrantes europeus, que desde o final do século XIX constituíam boa parte das camadas populares das capitais brasileiras. Para todo

As três "rainhas do rádio" mais populares dos anos 50, juntas, na sua fase áurea. Da esquerda para a direita: Ângela Maria, Marlene e Emilinha Borba.

esse conjunto heterogêneo de população, que fornecia os contingentes de mão de obra para as indústrias que se instalavam no país, o rádio tinha um papel fundamental. Ele era fonte de informação, de lazer, de sociabilidade, de cultura. Estimulava paixões e imaginários, não só individuais, mas, sobretudo, coletivos.

Mas não se pode dizer que o rádio era um fenômeno apenas das classes populares urbanas e que na década de 1950 chegaria aos camponeses com maior intensidade. Até o final dos anos 1950, ele era uma peça obrigatória em quase todos os lares, dos mais ricos aos mais pobres. Fenômeno de massa desde os anos 1930, base da expansão da rica cultura musical brasileira, a radiodifusão sofreu um grande processo de massificação a partir do final da Segunda Guerra Mundial. Na segunda metade dos anos 1940, o rádio se consolidou como fenômeno cotidiano, ligado à cultura popular urbana, veiculando principalmente melodramas (novelas) e canções. A partir de 1945, a Rádio Nacional massifica os chamados programas de auditório, um gênero que trazia para o rádio a participação direta das massas e que consolidou a vocação popular desse meio de comunicação, potencializando ainda mais a paixão em torno do veículo. Definitivamente, a batalha iniciada nos anos 1930 pelos moralistas e educadores mais sisudos, por um rádio educativo, veiculador tanto de uma cultura superior europeizada quanto da cultura nacionalista folclorizada, estava perdida. As paixões populares, o gosto musical mais simples e a busca por lazer por parte da maioria da população haviam triunfado, até porque coincidiam com os interesses dos empresários por trás desse meio de comunicação. Daí, compreende-se por que, em torno de 1948, consagrou-se entre as vozes mais preconceituosas da imprensa a expressão de "macacas de auditório", para qualificar o novo público radiofônico das empregadas domésticas, negras e pobres, que se manifestavam ruidosamente diante de seus ídolos.

Além disso, também desde meados dos anos 1940, a vertente mais popular do cinema brasileiro consolidava a tendência das chanchadas musicais, nas quais histórias quase sempre banais, a estética carnavalesca e o gosto popular eram a base de produções baratas, que conseguiam, porém, um espaço significativo de audiência, em meio a uma indústria cada vez mais hegemonizada pelos norte-americanos. A maior parte das produções das companhias mais significativas – Cinédia, fundada em 1929, Atlântida, em 1942, e Cinedistri, em 1949 – pode ser incluída na categoria de comédias ou melodramas musicais, nas quais o carnaval era uma temática constante. Quase sempre os filmes mostravam as peripécias de pessoas simples para conseguir um lugar ao sol no meio musical, ao mesmo tempo em que ajudavam os casais apaixonados a vencer os obstáculos à sua união. Outra temática comum, eram as paródias de filmes norte-americanos famosos, como *Sansão e Dalila* e *Matar ou Morrer*. Tipos populares, como Oscarito, Grande Otelo, Ankito, Dercy Gonçalves, Mazzaropi, dividiam as telas com galãs, mocinhas e vilões que tentavam imitar o padrão estético dos filmes norte-americanos, ao mesmo tempo em que mantinham um espírito debochado do teatro de revista brasileiro.

Portanto, o carnaval, o rádio e o cinema, a partir da segunda metade dos anos 1940, eram os meios culturais pelos quais se con-

Oscarito e Grande Otelo sintetizaram os tipos populares brasileiros nas chanchadas da Atlântida.

solidava uma nova audiência popular, ao mesmo tempo em que, em torno do rádio e do cinema, surgiam as primeiras formas de indústria cultural no Brasil, representando conteúdos culturais vivenciados pelas classes populares, em meio a um processo de urbanização crescente.

Veiculada pelos dois meios citados, a música popular também sofria um significativo processo de mudanças. Se o samba, desde os anos 1930, era aceito como a música brasileira típica, a partir do final dos anos 1940 ele dividia o espaço na programação musical das emissoras de rádio com outros gêneros populares. Do nordeste brasileiro, a nova sensação eram os ritmos dançantes, como baião e xote, popularizados por Luiz Gonzaga, que se consagrou entre o grande público do sul com *Asa branca*, de 1947. Aliás, a luta contra a seca e pela dignidade do homem do sertão era tema constante nesse gênero musical. Da América Latina, o bolero, sobretudo o bolero mexicano, foi a grande sensação, hegemônico ao longo dos anos 1950 e que mudou a própria face do samba – daí, a nova forma do samba-canção, na verdade um nome para o samba "abolerado". O romantismo exagerado e a solidão amorosa serviam de inspiração básica para as letras desse estilo musical.

Nas vertentes mais populares do rádio, do cinema, da música dos anos 1950, configurou-se determinada face coletiva do povo brasileiro, síntese de práticas, valores sociais e representações simbólicas e, muitas vezes, puramente ideológicas. Alguns elementos dessa síntese são perfeitamente identificáveis naquela produção cultural: malícia ingênua, senso de humor "natural", esperteza e dignidade diante dos desafios éticos e materiais da vida, solidariedade espontânea com os mais fracos, romantismo, mistura de crítica sutil e conformismo diante da ordem social. Estas características gerais, amplamente percebidas nos produtos da cultura de massa dos anos 1950, obviamente, não podem ser analisadas sem as tensões e contradições inerentes. Mas, de uma forma ou de outra, marcaram uma representação do popular, que atravessou as décadas seguintes, apesar do surgimento de outras formas de representar o povo, como veremos adiante.

O popular irrompia sob as mais diversas formas, tanto na política como na cultura, sem necessariamente caracterizar uma relação de "reflexo" da primeira sobre a segunda. Enquanto a dramática greve de trezentos mil operários paralisava São Paulo por 24 dias, em 1953, as cantoras de origem proletária, Emilinha Borba (1953) e Ângela Maria (1954), ganhavam a consagração suprema como "Rainhas do Rádio". Os mesmos ouvintes que choravam diante dos melodramas radiofônicos emocionaram-se com a carta-testamento de Getúlio Vargas, cuja própria trajetória política não fica nada a dever tanto para a chanchada carnavalesca quanto para as novelas de rádio. Portanto, a cultura era mais uma lente pela qual a sociedade se representava do que um espelho que refletia a "realidade" das estruturas econômicas e políticas.

No labirinto de espelhos que constituiu as imagens da cultura popular massificada nos anos 1940-1950, muitos foram os elementos refletidos e refletores. O real e o imaginário se entrecruzaram e a luta pela articulação desses dois elementos e sua inculcação coletiva têm sido o fermento da história. O resultado deste processo que analisamos é que o Brasil descobriu, ou melhor, reinventou as imagens sobre o seu povo.

## A BURGUESIA e a cultura

Sem dúvida, as representações simbólicas do popular se adequaram (e, em parte, foram produto delas) às manipulações ideológicas, por parte das elites brasileiras, na construção de um tipo popular ideal: conformado, mas com vontade de subir na vida, malandro, mas, no fundo, ordeiro, crítico, porém nunca subversivo. Se por parte das camadas populares os produtos culturais que veiculavam essas representações serviam como válvula de escape das tensões sociais e políticas que o Brasil atravessava, por parte das elites eram vistas como uma representação subdesenvolvida, típica do terceiro mundo provinciano, produto da mistura das raças e do atraso sociocultural. Nos anos 1950, percebemos uma contradição crescente no campo da cultura brasileira, que se agravaria nas décadas seguintes e expressava os dilemas de uma sociedade excludente, desigual e conflituosa. Ainda que eventualmente úteis, para fins de manipulação ideológica, para uma boa parte das elites políticas o povo e os produtos culturais a ele dirigidos eram motivo de vergonha (sobretudo para a parte da elite ligada à cultura e à educação). Na visão dessa elite, o problema não era o veículo de comunicação e expressão em si (o rádio e o cinema, por exemplo), mas os conteúdos e os tipos humanos veiculados, quase sempre pessoas pobres, lutando pela vida, ou tipos debochados e cafajestes, malandros que fugiam às normas de conduta da burguesia. Os enredos dos filmes e novelas de rádio também eram criticados, na medida em que se apoiavam em temáticas consideradas escapistas e banais.

Partindo dessa percepção, alguns segmentos da sociedade brasileira passaram a gestar outro projeto de cultura, que deveria representar a face civilizada e educada do povo brasileiro, provando a capacidade técnica e criativa da nossa sociedade em comparação com os centros urbanos mais valorizados da Europa e dos Estados Unidos, e com as formas culturais tidas como superiores, em várias áreas de expressão.

Enquanto o principal foco de produção das imagens sobre o povo urbano brasileiro foi o Rio de Janeiro (cuja cultura de massa sintetizou tipos populares de outros lugares, como a baiana e o sertanejo), consolidando uma vocação que vinha desde os anos 1920, a cidade de São Paulo, nos anos 1950, foi o foco da introdução de novos patamares técnicos (e, em alguns casos, criativos) de produção para as diversas áreas das artes.

Apesar dessa tendência, não podemos esquecer que foi o cinema paulista que veiculou um dos tipos populares mais famosos da nossa cultura, o caipira, imortalizado pelo comediante Amácio Mazzaropi. O filme que consagrou o tipo caipira foi *Candinho* (Vera Cruz, 1954). O filme conta a história de um caipira, Candinho, e seu jumento Policarpo. Os dois, cansados da vida dura do campo, vêm para São Paulo, já na época considerada uma metrópole assustadora. Candinho se apaixona por uma moça de vida fácil, mas consegue convencê-la a voltar para o campo, representado como contraponto moral ao inferno urbano. Apesar de ser uma comédia despretensiosa, o filme idealizava a vida rural e, nesse sentido, tentava construir uma referência moral para um mundo de rápidas mudanças em direção à modernidade urbana. Em 1963, Mazzaropi fundou sua própria produtora cinematográfica e seguiu fazendo muito sucesso entre o público mais amplo, com seu tipo caipira ingênuo e frágil diante de um mundo moderno, assustador e implacável.

Mas, no geral, a palavra de ordem, em São Paulo, era atualização cultural, busca de um compasso com o mundo desenvolvido. Em outras palavras, atualizar as formas, representações e tecnologias da produção artístico-cultural, cujo modelo era a "cultura" do mundo desenvolvido. Na verdade, essas iniciativas de atualização se concentraram em três áreas principais: teatro, cinema e artes plásticas. A música popular continuava tendo no Rio de Janeiro seu principal foco criativo, cujos meios de comunicação ditavam os grandes sucessos nacionais. Em São Paulo, o TBC – Teatro Brasileiro de Comédia, a Companhia Cinematográfica Vera Cruz e as mudanças no campo das artes plásticas – criação do Masp (Museu de Arte de São Paulo) em 1947, do MAM (Museu de Arte Moderna) em 1948, e da Bienal de Artes Plásticas – são as expressões mais significativas desse processo. Mas não devemos esquecer que, a partir de São Paulo, surgia outro sistema de comunicação de massa, ainda tímido: a televisão (criada em 1950, pelo empresário Assis Chateaubriand, o mesmo empresário por trás do Masp). Enfim, no final dos anos 1940, a abastada burguesia paulista resolveu transformar a hegemonia econômica de São Paulo em hegemonia cultural, entrando em franca rivalidade com a supremacia cultural e política do Rio de Janeiro. Nesse projeto, forjava-se outra identidade brasileira, mais preocupada em mostrar "modernidade" e sofisticação de forma e conteúdo (embora o resultado das obras e produções nem sempre tenha confirmado esta vontade).

O TBC, fundando pelo industrial Franco Zampari, tinha o objetivo de trazer para o Brasil o fino da dramaturgia mundial, tanto autores clássicos como modernos consagrados, entre eles Tenessee Williams, Arthur Miller, J. P. Sartre, M. Gorki e Pirandello. Autores brasileiros também foram encenados, com muito sucesso, como Abílio Pereira de Almeida (*Santa Marta Fabril S.A.*), Dias Gomes (*O pagador de promessas*) e Jorge Andrade (*Os ossos do Barão*, *Vereda da salvação*). A proposta básica do projeto do TBC era "instaurar o bom gosto" teatral no público brasileiro, até então habituado com as comédias de costume, levadas ao palco por nomes como Procópio Ferreira e Dulcina de Moraes. Para garantir o "padrão internacional" do TBC, foram trazidos diretores, técnicos e encenadores do exterior, sobretudo da Itália (Adolfo Celi, Ruggero Jacobi, Alberto D'Aversa, Flamínio Cerri, entre outros). Paralelamente, para promover a formação profissional de atores competentes, foi criada a Escola de Arte Dramática, por Alfredo Mesquita. No palco do TBC e nos bancos da EAD estiveram grandes atores, como Cacilda Becker, Sérgio Cardoso, Paulo Autran, Maria Della Costa, Leonardo Villar, Aracy Balabanian, Raul Cortez e dezenas de outros que se tornaram conhecidos do grande público mais tarde, ao serem contratados pela televisão.

Antes mesmo da fundação do TBC, o Rio de Janeiro viveu uma verdadeira revolução teatral, com a associação entre Zbigniew Ziembinski (diretor polonês refugiado no Brasil devido à perseguição nazista), Thomaz Santa Rosa (cenógrafo) e Nelson Rodrigues (autor). Em 1943, os três levaram aos palcos *Vestido de noiva*, texto de Nelson Rodrigues, encenado pela companhia teatral Os Comediantes. A peça tratava da trajetória, dos desejos e das frustrações de uma mulher, em três planos distintos e paralelos: a realidade – uma mesa de operação, pois a protagonista, Alaíde, havia sido atropelada e estava à beira da morte –, a memória – as lembranças da infância, enquanto agoniza – e a alucinação – a inserção de personagens e situações imaginadas, fruto do seu desejo reprimido. Os três planos se fundiam num tratamento muito próximo à tragédia grega, com diálogos fortes, que procuravam traduzir a tensão (característica dos textos de Nelson Rodrigues) entre a irrupção do desejo e das paixões e os deveres estabelecidos pela moral familiar e social. Ao longo da segunda metade dos anos 1940 até os anos 1960, Nelson Rodrigues escreveu textos que se tornariam clássicos, não só da dramaturgia brasileira, como mundial. Destacamos: *Álbum de família* (1946), *Senhora dos afogados* (1947), *Doroteia* (1949), *A falecida* (1953), *Perdoa-me por me traíres* (1957), *Boca de ouro* (1959), *Toda nudez será castigada* (1965). Fundindo temas universais com situações e tipos humanos característicos do subúrbio carioca, o polêmico Nelson chocou a classe média brasileira, apesar de seu conhecido conservadorismo político, pois levava ao palco temas como incesto, traição, fantasias sexuais, condutas morais desviantes, entre outros tabus comportamentais. Sintomaticamente, o TBC, expressão do ideal de bom gosto da burguesia paulistana, nunca encenou Nelson Rodrigues.

A Companhia Cinematográfica Vera Cruz tinha uma pretensão ainda maior do que o TBC. Mais do que formar o gosto do público, a ideia era competir com o império de Hollywood, realizando filmes com conteúdo e nível técnico semelhantes ao padrão norte-americano. Enquanto o Rio de Janeiro consagrava o padrão das chanchadas para as plateias populares, a Vera Cruz, instalada num enorme estúdio, de 100 mil $m^2$, em São Bernardo do Campo queria conquistar o grande público mais voltado para os filmes norte-americanos. Seus filmes de maior sucesso foram: *Caiçara* (1950), *Tico-tico no fubá* (1952), que contava a vida do compositor Zequinha de Abreu, *Sinhá Moça* (1953), *Floradas na serra* (1954) e, principalmente, *O cangaceiro* (1953), grande sucesso de bilheteria e vencedor do Festival de Cannes na categoria melhor filme de aventuras. Apesar desses sucessos, a Vera Cruz acumulou prejuízos

O TBC dedicava-se à montagem de textos clássicos, antigos e modernos. Na foto, cena de "Seis personagens à procura de um autor", de Luigi Pirandello, 1951.

crescentes, sobretudo devido às dificuldades de distribuição dos seus filmes. Em 1954, terminou o sonho hollywoodiano brasileiro, com a falência da empresa.

Num circuito cultural diverso, o mundo das artes plásticas, mesmo circunscrito a um pequeno círculo social, foi fundamental para consolidar outro fenômeno da cultura brasileira moderna, massificada nos anos 1960: a tendência formalista da vanguarda, em muitos casos próxima à abstração pura, que será vista como sinônimo de sofisticação e modernidade por amplos segmentos da elite, cujo impacto inicial se viu nas áreas de arquitetura, escultura e pintura. Destacavam-se as formas geométricas, consideradas frias e racionalistas, sem ornamentos decorativos, exageros ou elementos sem funcionalidade no conjunto da obra.

Mas esta busca de uma representação mais contemporânea nas artes plásticas convivia com o culto aos grandes gênios da pintura universal, como Degas, Renoir, Van Gogh, os quais finalmente tinham espaço na cidade, com a ousada criação do Museu de Arte de São Paulo. Os paulistanos (e brasileiros) já não precisavam viajar para Paris ou Londres para ver as grandes obras de pintura e escultura. Com o tempo, o Masp se tornou um espaço popular e símbolo da cidade, sobretudo depois da inauguração da sua nova e arrojada sede, em 1968, na avenida Paulista. Se o Masp foi criado para ser o espaço do panteão artístico consagrado ao longo dos séculos pela arte ocidental, do século XIV até o final do XIX, o MAM passou a se dedicar às novas tendências, assim como um dos eventos internacionais mais famosos das artes plásticas: a Bienal. A primeira Bienal foi organizada em 1951, no recém-inaugurado pavilhão no Parque do Ibirapuera, cujo prédio, em si, era uma peça de arte moderna, com seu despojamento e grandes espaços interiores.

## SINAIS DE RUPTURA: as novas vanguardas

A I Bienal de São Paulo, em 1951, começou a gerar frutos alguns anos mais tarde. O impacto da obra abstrata do escultor suíço Max Bill incrementou a discussão sobre os caminhos da arte brasileira, na busca de atualização, em relação às tendências internacionais. A partir de uma perspectiva crítica e formalista, tentando radicalizar uma visão geométrica e racional das artes e, assim, refletir sobre o papel das artes numa sociedade marcada pelos meios de comunicação de massa e pela indústria, consagrou-se em 1956, uma proposta estética radical: o concretismo.

Inicialmente, o movimento concretista se articulou nas artes plásticas, com o Grupo Ruptura, de São Paulo, consagrando-se pouco depois a partir das experiências poéticas do Grupo Noigrandes: Augusto de Campos, Haroldo de Campos e Décio Pignatari, que também haviam participado do Grupo Ruptura. Nessa nova proposta, a palavra, como unidade básica da comunicação linguística e poética, passava a ser questionada e, na perspectiva do movimento, deveria ser fragmentada, decomposta em signos e colocada numa perspectiva visual e concreta. Por outro lado, a expressão nas várias artes – poesia, artes plásticas e, mais tarde, na música – deveria buscar

beba coca cola
babe cola
beba coca
babe cola caco
caco
cola
cloaca

*Décio Pignatari — 1957*

Poema concretista de Décio Pignatari (1957).

a abstração racionalista, geométrica, anti-intuitiva e incorporar novas técnicas e materiais – gráficos, sonoros, imagéticos – proporcionados pela sociedade industrial e pela nova linguagem da publicidade, com seus cartazes e efeitos visuais inovadores.

A frieza e o rigor formalista e racionalista do Concretismo foram questionados pelo chamado Neoconcretismo, um movimento formado inicialmente por artistas do Rio de Janeiro (Lygia Clark, Hélio Oiticica e o poeta Ferreira Gullar, em sua primeira fase), por volta de 1957. Esses artistas recuperaram o caráter simbólico e expressivo da arte, sem abrir mão da pesquisa sobre novas formas.

## GÊNESE DA ARTE engajada de esquerda

Após a Segunda Guerra, o Partido Comunista Brasileiro emergiu como uma das agremiações políticas mais prestigiadas pelos intelectuais. A luta heroica da União Soviética contra Hitler, bem como a resistência dos partidos comunistas da Itália, França, Iugoslávia, entre outros, contra a ocupação alemã, acabou por ser decisiva para a derrota do totalitarismo nazifascista. Mas o sonho da convivência pacífica entre os blocos capitalista liberal (liderado pelos EUA) e socialista (liderado pela então URSS) logo se esvaneceu. Em 1947, tem início a chamada Guerra Fria. No Brasil, o governo pró-americano de Eurico Gaspar Dutra (1946-1950) declarou o PC brasileiro ilegal e rompeu relações com a União Soviética. Depois de um isolamento político inicial, entre 1947 e 1953, o Partido Comunista Brasileiro aproximou-se do Partido Trabalhista Brasileiro, de Getúlio Vargas, utilizando-se desta legenda para eleger alguns parlamentares. Mas, de fato, o PCB teve uma influência marcante nos meios artístico e intelectual, sobretudo entre literatos, músicos, jornalistas, e nos meios sindicais, principalmente os de operários e de trabalhadores das empresas estatais, como os ferroviários. Além disso, no Brasil, a figura lendária de Luís Carlos Prestes, um militante solto em 1945 depois de dez anos de prisão, aumentava a aura de heroísmo e idealismo que cercavam o comunismo brasileiro.

Entre 1947 e 1955, aproximadamente, o Partido Comunista Brasileiro adotou uma doutrina estética e uma política cultural oficial que ficou conhecida como realismo socialista. Essa doutrina, nascida na União Soviética em meados dos anos 1930 e ratificada pelo Partido Comunista da União Soviética (PCUS) no final dos anos 1940 graças à atuação de Andrei Jdanov – por isso, ela também ficou conhecida como jdanovismo –, forneceu as diretrizes de produção e difusão cultural do PC até que a morte de Joseph Stalin (1953) e a crítica do próprio PCUS ao stalinismo, feita no seu XX Congresso em 1956, abalassem o seu prestígio. Os princípios fundamentais dessa doutrina eram os seguintes: a arte deveria ser feita a partir de uma linguagem simples e direta, quase naturalista; o conteúdo deveria ser portador de alguma mensagem exortativa e modelar para as lutas populares; os heróis e protagonistas "do bem" deveriam ser figuras simples, positivas e otimistas, dispostas à luta e ao sacrifício em nome do coletivo; os valores nacionais e populares, folclóricos, deveriam ser fundidos com ideais humanistas e cosmopolitas, herdados da arte ocidental dos séculos XVIII e XIX.

Apesar de uma expressiva atuação em várias áreas da cultura popular – destacamos a aproximação do Partido Comunista com as Escolas de Samba do Rio de Janeiro, em 1945 – e erudita, sobretudo entre os compositores da escola musical nacionalista, foi nos campos da literatura e da dramaturgia que os ideais comunistas tiveram maior penetração. Importantes nomes, como Jorge Amado, Carlos Drummond de Andrade, Graciliano Ramos, Dias Gomes, Oduvaldo Vianna (o pai), eram figuras ligadas ao partido. Além disso, o PCB tentou desenvolver uma política de difusão de romances populares, por meio da coleção Romances do Povo, baseados nos princípios do realismo socialista, mas que não teve muito fôlego.

Porém, o mais importante é que tipos e personagens ficcionais criados pelos dramaturgos e escritores, sobretudo Jorge Amado e Dias Gomes, se tornaram parte do imaginário brasileiro e, ao longo dos anos 1960 e 1970, invadiram outras artes e meios de comunicação, como o cinema, a música e a própria TV (lembramos que Dias Gomes será um dos principais autores de novelas da Rede Globo, a partir dos anos 1970). Portanto, esse é outro viés formador da cultura brasileira moderna amplamente consagrado, mesmo sem o caráter ideológico inicial, pela cultura massificada. A galeria de heróis populares (operários lutadores, camponeses dignos, beatos messiânicos, malandros solidários e sedutores, prostitutas dignas etc.) era representada em permanente conflito com coronéis autoritários, políticos corruptos, padres conservadores, burocratas individualistas e capitalistas usurpadores.

## O TEATRO E O CINEMA reinventam o povo

Duas áreas de expressão artística, a partir da atuação de membros e simpatizantes do PCB, tiveram um papel importante na renovação das artes de espetáculo nos anos 1950: o teatro e o cinema. Se a cultura de massa da época, como já dissemos, consagrava uma dada imagem do povo brasileiro, ou seja, os membros das classes populares que habitavam o campo e a cidade, alguns jovens dramaturgos e cineastas, que atuavam fora dos grandes esquemas comerciais, desenvolveram algumas variantes dessas representações. Surge então um novo olhar sobre o povo brasileiro, sintetizado na figura humana do operário.

No início dos anos 1940, a crítica cinematográfica, sobretudo a paulista, se pautava pela estética do neorrealismo italiano para criticar a suposta inexistência do cinema brasileiro. A criação da Vera Cruz (4/11/1949), em parte uma reação à cinematografia carioca (chanchadas, comédias carnavalescas, filmes oficiais), não deixava de ser uma resposta a esse suposto vazio.

Mas a esquerda procurava se distanciar do modelo altamente comercial de cinema. Alex Viany destacou-se como crítico do cinema de estúdio brasileiro, defendendo a busca de um sistema não empresarial, que falasse sobre a condição do povo brasileiro e sobre a cultura nacional ameaçada pela crescente influência norte-americana em todos os setores da vida brasileira. Em torno das ideias dos críticos de cinema do PCB surgiu um conceito de cinema brasileiro: o capital, o estúdio e o laboratório deveriam ser 100% nacionais; dois terços da equipe técnica e todos os intérpretes principais deveriam ser brasileiros. Além desses aspectos de produção, o filme brasileiro deveria desenvolver um tema nacional, buscando o homem brasileiro como homem do povo.

Alguns filmes procuraram seguir esse novo paradigma de criação e produção: *Agulha no palheiro* (Alex Viany), *Rio, 40 graus* e *Rio, Zona Norte* (ambos de Nelson Pereira dos Santos) e *O grande momento* (de Roberto Santos). Os personagens e as situações dramáticas eram inspirados no cotidiano do povo brasileiro, suas dificuldades, valores e esperanças. O filme *Rio, 40 graus* chegou a ser censurado, tendo sua exibição impedida durante vários meses, com a alegação de que exaltava "delinquentes, viciosos e marginais" e denegria a imagem do Rio de Janeiro, pois retratava um dia na vida de vários meninos favelados, vendedores de amendoim, na luta pela sobrevivência em meio a uma cidade indiferente aos seus dramas. Era a primeira vez que o cinema brasileiro representava, de forma tão realista e direta, os dramas sociais urbanos. Em 1955, depois de uma campanha pública liderada por jornalistas e intelectuais, o filme acabou sendo liberado. O outro filme do mesmo diretor, *Rio, Zona Norte*, seguia na mesma linha e mostrava a vida de um favelado, compositor de sambas lutando pelo sucesso e constantemen-

Cena do filme "Rio, Zona Norte", uma das expressões mais destacadas da cultura engajada de esquerda nos anos 1950.

te sendo ludibriado por intermediários oportunistas, que termina morrendo num acidente de trem.

O cinema era um dos principais temas em debate nas revistas culturais ligadas ao PCB, como a revista *Fundamentos*, mas o teatro não recebia muito destaque. Sintomaticamente, a base de uma dramaturgia engajada brasileira nasceu de uma ruptura no interior do teatro burguês, o Teatro Brasileiro de Comédia. No início dos anos 1950, Ruggero Jacobi e Carla Civelli saem do TBC e fundam o Teatro Paulista do Estudante (TPE, ligado à Faculdade de Filosofia, Letras e Ciências Humanas da USP). Também no interior do TBC, surgiu outro grupo: o Teatro de Arena, em 1953. O encontro do TPE com o espaço do Arena acabou por "refundar" o Grupo Arena, em novas bases políticas e ideológicas, por volta de 1957, sob a liderança de jovens dramaturgos e atores, como Oduvaldo Vianna Filho, Gianfrancesco Guarnieri e Flávio Migliacio, entre outros. A base filosófica do Arena, já apresentada no II Festival de Teatro Amador, em 1956, era o princípio de que, para um verdadeiro teatro popular, era preciso provocar um desentorpecimento do espectador. A emoção e a identificação provocada pela encenação realista dos dramas sociais e humanos deveria ser a base do desentorpecimento e da criação de uma consciência nacional emancipadora. Portanto, nessa perspectiva, a arte deveria buscar uma expressão que provocasse emoção, sem se dissolver no melodrama sentimental. O despojamento e a simplicidade da forma, aliados ao drama humano pungente, seria o contraponto do melodrama alienado, considerado burguês, pois só representava problemas individuais ou dramas privados.

A aplicação desses princípios pôde ser vista no grande sucesso teatral do ano de 1958: *Eles não usam black-tie*, de Gianfrancesco Guarnieri, com direção de José Renato. A peça contava a história de dramas e conflitos de uma família operária, durante a realização de uma greve, em que as relações afetivas, os papéis familiares, os projetos individualistas, a solidariedade de classe são colocados à prova pelo desenrolar dos dramáticos acontecimentos. A peça estreou em maio de 1958 e se tornou um grande sucesso de público e crítica, percorrendo várias capitais brasileiras.

Do contato dos membros do Teatro de Arena paulista com os estudantes cariocas – a peça estreou no Rio de Janeiro em setembro de 1959 – nasceu a ideia da criação de um Centro Popular de Cultura. As ideias estéticas e as peças realizadas pelo Arena entre 1956 e 1960 serão fundamentais para entendermos uma das principais expressões do engajamento artístico no Brasil dos anos 1960 e que podemos chamar, genericamente, de "cepecismo".

Essa agitação de ideias e obras entre cineastas, dramaturgos e atores ligados à cultura política comunista, acabou articulando a própria renovação das estratégias políticas do PCB. Em março de 1958 o Partido assumia para si, oficialmente, a tarefa de construir uma democracia burguesa forte, bem como consolidar o processo de desenvolvimento industrial brasileiro, de preferência sob a hegemonia do capital nacional, numa leitura singular da política desenvolvimentista desencadeada pelo Plano de Metas de Juscelino Kubitschek, lançado em 1955. Para o PCB, a tarefa histórica prioritária, mais importante do que a autonomia e a luta revolucionária específica da classe operária, era fortalecer a burguesia nacional e a democracia formal/institucional, numa aliança tática com a classe, a princípio, antagônica. Essa visão etapista da história, quase uma doutrina entre os comunistas na época, que colocava a fase democrático-burguesa como etapa historicamente necessária para a construção posterior de um movimento revolucionário de cunho socialista, foi a base da aliança de classes sociais que sustentou os últimos anos da democracia populista, destruída pelo golpe militar de 1964. Como veremos, durante o golpe a burguesia brasileira não teve dúvida: aliou-se aos reacionários de toda sorte – latifundiários, capitalistas internacionais, banqueiros – na contenção da crescente mobilização popular de camponeses e operários. A ilusão do pacto populista em prol do desenvolvimento nacional contra o imperialismo, tão presente nas artes engajadas, desvaneceu repentinamente.

## TRADIÇÃO E RUPTURA na Bossa Nova

No início de 1959, o panorama musical brasileiro foi sacudido por um sussurro que virou um terremoto. Foi produzido por um cantor que, praticamente, sussurrava um doce balanço, acompanhado do seu "violão diferente". Era o baiano João Gilberto, que desde o início dos anos 1950 frequentava os ambientes musicais do Rio de Janeiro, sobretudo a boêmia em torno das boates da Zona Sul, e naquele ano lançou o LP (*longplay*) *Chega de saudade*. A maioria das faixas, mesmo remetendo à tradição rítmica do samba, trazia elementos do *cool jazz*, sobretudo na maneira contida de cantar, sem ornamentos e com voz baixa. Imediatamente, o novo ritmo foi apelidado de Bossa Nova, e parecia ir ao encontro do gosto de um segmento moderno da classe média, que havia se ampliado depois da política industrializante de Juscelino Kubitschek.

Com João Gilberto, consagraram-se para o grande público nomes já conhecidos como Antonio Carlos Jobim, arranjador, maestro e compositor já respeitado entre os músicos, e o poeta Vinicius de Moraes, já com uma sólida carreira literária. Jovens músicos, ainda estudantes, como Carlos Lyra, Oscar Castro Neves, Roberto Menescal, entre outros, juntaram-se ao movimento e, em menos de um ano, a Bossa Nova dominava o ambiente musical mais sofisticado das grandes cidades brasileiras. Já não era mais preciso ter uma grande voz, de estilo operístico, para interpretar as canções populares. Além disso, João Gilberto havia demonstrado que o violão servia para algo mais do que realizar o acompanhamento melódico do cantor. Com a batida de João Gilberto, o violão parecia uma verdadeira orquestra: era harmônico e rítmico ao mesmo tempo. "Um banquinho e um violão" era o lema que traduzia a vontade de síntese, de sutileza, de despojamento que passou a ser confundida com a boa música popular brasileira, moderna e sofisticada. Nas letras também se notava uma tendência à sutileza e à contenção na expressão exagerada dos sentimentos, portanto, ao contrário dos boleros mais populares.

E claro que a Bossa Nova não foi uma unanimidade. Aliás, muita gente não gostava, principalmente os ouvintes das camadas mais populares, cujo ouvido se adaptara aos grandes vozeirões que faziam sucesso no rádio, como Francisco Alves, Nelson Gonçalves, Ângela Maria. A música brasileira, no início da década de 1960 dividiu-se entre o samba "moderno" e o samba "quadrado".

Mas o samba moderno, a Bossa Nova, rapidamente ganhou a audiência mais sofisticada, que até então ouvia música erudita e jazz norte-americano. Por outro lado, uma boa parte dos filhos da classe média, que formavam a maioria dos universitários, passou a se interessar por música popular, a partir do impacto do novo movimento. Se você tivesse uma boa ideia, já não era mais preciso fazer literatura, bastava uma boa canção. Ao longo de 1959, a Bossa Nova ganhou as universidades, no Rio e em São Paulo. Os *shows* na Faculdade de Arquitetura e na PUC-RJ, foram muito impactantes. A imprensa também correu atrás do movimento, estampando manchetes e notícias. A publicidade, que se beneficiava do novo *boom* de consumo proporcionado pela política de desenvolvimentismo de JK, também não perdeu tempo. Percebendo que a bossa nova tinha uma boa receptividade junto aos consumidores mais abastados, utilizou-se amplamente do termo para qualificar os produtos anunciados. O Brasil assistia a uma febre bossa-novista: havia automóvel bossa-nova, geladeira bossa-nova, moda bossa-nova e até o

João Gilberto e seu violão. No lugar do "banquinho", um banco de praça no cenário do programa *Noite de Gala*.

presidente que se retirava do poder passou a ser chamado de presidente bossa-nova.

Na mesma época da Bossa Nova na música, surgia o Cinema Novo. Entre 1960 e 1962, um grupo de jovens cineastas, entre eles Glauber Rocha, Arnaldo Jabor, Ruy Guerra, além do veterano Nelson Pereira dos Santos, preconizava a necessidade de um cinema ousado, em forma e conteúdo, que falasse do Brasil sem copiar os padrões falsamente hollywoodianos das chanchadas da Atlântida e dos dramas da falida Vera Cruz. Se "um banquinho e um violão" era o lema da nova canção brasileira, o Cinema Novo defendia o mesmo princípio de simplicidade formal, "uma ideia na cabeça e uma câmera na mão", ainda que no plano temático, ao contrário da Bossa Nova, o principal assunto dos filmes não fosse o Brasil "moderno, urbano e elegante". A maior parte dos clássicos do Cinema Novo – *Barravento*, *Vidas secas*, entre outros – retratava o Brasil rural, violento, arcaico e opressor.

Portanto, apesar do mesmo adjetivo – novo – cinema e música popular tinham universos e preocupações diferentes. Se os novos cineastas partiam do princípio de que era necessário romper com o passado cinematográfico brasileiro, na música a coisa não era tão simples. A vigorosa e (musicalmente) respeitada tradição do samba carioca (base da música popular brasileira), que revelou nomes como Pixinguinha, Ary Barroso, Noel Rosa, Dorival Caymmi, Orlando Silva, não era o alvo da crítica dos bossa-novistas. O alvo da ruptura era o bolerão mais passional e exagerado, que fazia muito sucesso no final dos anos 1950 (e que, aliás, nunca deixou de fazer sucesso, mesmo ao longo dos anos 1960 e 1970, em pleno auge da moderna MPB). Assim mesmo, alguns intérpretes mais sofisticados de bolero, como Maysa e Dolores Duran, acabaram sendo aceitas pela Bossa Nova. De qualquer forma, para efeito de propaganda e consolidação de um novo público consumidor de música popular, a ideia de uma ruptura com o passado tinha um bom *marketing*. O sonho da modernidade brasileira tinha encontrado a sua trilha sonora.

Entre 1959 e 1962, a Bossa Nova se consagrou, não tanto pelas suas vendagens de discos, mas pelo novo *status* sociocultural que ela proporcionou à música popular brasileira. Os norte-americanos já não podiam contar com o seu grande reservatório de música latina, papel desempenhado por Cuba até a Revolução de 1959, e passaram a se interessar por Bossa Nova não só pela sua qualidade musical, mas pela possibilidade de ser o novo ritmo-chave do *latin jazz*, então em alta no rico mercado daquele país. Depois da descoberta por parte dos músicos "jazzistas", que se encantaram com a batida brasileira, os empresários não tardaram a organizar concertos nas principais cidades norte-americanas. O grande evento de 1962, nesse sentido, foi o *show* no Carnegie Hall, em Nova York. Também foi a gota d'água para acirrar as polêmicas em torno do movimento.

Se para os entusiastas da Bossa Nova, a ida da música brasileira para os Estados Unidos significava que o Brasil deixava de ser exportador de sons exóticos e se tornava exportador de um produto cultural acabado (como disse Tom Jobim, em entrevista na época), para os críticos do movimento, nacionalistas radicais, o reconhecimento norte-americano da Bossa Nova era natural, pois o tal do samba moderno não passava de cópia do jazz. Lembremos que esse debate, nacionalismo *versus* entreguismo, não era uma simples questão de gosto. Num país cada vez mais dividido politicamente e que procurava saídas para os seus impasses sociais, culturais e econômicos, a arte e a cultura eram espécies de "laboratório de ideias", campo de elaboração de projetos ideológicos para o Brasil.

A esquerda nacionalista, muito influente nos meios artísticos e culturais e, sobretudo, nos ambientes universitários, se dividiu em torno da Bossa Nova. Alguns jovens militantes reconheciam que cantar a "garota de Ipanema", o "amor, o sorriso e a flor", o "barquinho" e outras mumunhas mais era o mais bestial sinal de alienação, num país vitimado pelo "imperialismo" capitalista (o grande tema dos anos 1950 e 1960) e com uma população de mais de dois terços composta por miseráveis e subempregados, nos campos e nas cidades. O "olhar Zona Sul" das letras da Bossa Nova, de costas viradas para os morros e sertões ocupados pela população mais humilde, inquietava os jovens líderes intelectuais da União Nacional dos Estudantes (UNE), preocupados em criar uma arte engajada, ou seja, que representasse os problemas sociais e políticos do Brasil. Mas, paradoxalmente, o jovem universitário brasileiro apreciava a musicalidade sofisticada das canções rotuladas de bossa nova e, bem ou mal, passava a se interessar por música popular brasileira, como algo mais do que lazer diante do rádio. Portanto, para alguns ativistas estudantis não era o caso de jogar fora a Bossa Nova, mas de politizá-la, trazendo suas conquistas musicais para o terreno da arte engajada. Aliás, o nascimento de uma Bossa Nova engajada se deu já por volta de 1960 e 1961. As primeiras músicas consideradas de protesto, "Zelão" (composta e cantada por Sérgio Ricardo) e "Quem quiser encontrar o amor" (de Geraldo Vandré e Carlos Lyra), traziam alguns elementos de ruptura com o estilo consagrado por João Gilberto, mas mantinham a essência de sofisticação instrumental, complexidade harmônica e sutileza vocal, elementos identificados com o movimento. Aliás, Carlos Lyra, considerado membro fundador da turma da Bossa Nova, será um dos fundadores do Centro Popular de Cultura da UNE. Em "Zelão", o personagem que dava nome à canção era um favelado que vira seu barraco ser arrastado morro abaixo numa chuva e só podia contar com a solidariedade dos vizinhos, também favelados: "Todo morro entendeu quando Zelão chorou / ninguém riu nem brincou / e era carnaval".

Em "Quem quiser encontrar o amor", a própria forma de falar do amor foi considerada uma ruptura com o suave mundo das letras de Bossa Nova, ruptura esta sintetizada na passagem "Quem quiser encontrar o amor / vai ter que sofrer / vai ter que chorar". Além disso, a música foi incluída no filme *Cinco vezes favela*, produzido pelo CPC/UNE.

Havia ainda outro problema para a esquerda estudantil e ele se chamava *rock'n roll, o* mais novo "produto da invasão imperialista", segundo os padrões ideológicos da época. O *rock'n roll,* para a juventude de esquerda, era o símbolo da alienação política e do culto à sociedade de consumo, apesar do ar de rebeldia juvenil que emanava das músicas, considerada uma rebeldia superficial pela juventude engajada. Embora o *rock'n roll* já tivesse alguns anos de vida como gênero musical independente no mercado norte-americano, a sua entrada triunfal no Brasil se deu por volta de 1959, ou seja, no mesmo ano de eclosão da Bossa Nova. A fundação do Clube do Rock, no Rio de Janeiro, que reunia a juventude transviada, sobretudo da classe média baixa dos subúrbios, alertou os jovens intelectuais nacionalistas de esquerda. Era preciso criar um gosto por música popular brasileira entre a juventude e não era com o samba quadrado e com os bolerões passionais que tal meta seria atingida. Mais um motivo para resgatar a Bossa Nova de sua alienação e torná-la a base de um novo gosto musical. Mas ela só chegaria às massas se os jovens músicos olhassem para o povo brasileiro, ouvindo o morro e o sertão, incluindo nos temas poéticos e mesmo em alguns parâmetros musicais os sons e temas mais populares. A partir desse projeto musical – e ideológico – nasceu a moderna MPB, em meados dos anos 1960, representada por Elis Regina, Edu Lobo, Chico Buarque, entre outros. Por outro lado, os participantes dos clubes de rock, como Erasmo Carlos, Roberto Carlos e Carlos Imperial, serão os futuros protagonistas da Jovem

Guarda. Estavam lançadas as bases para a lendária rivalidade musical da segunda metade dos anos 1960.

## O BRASIL NOS ANOS 50: a modernização capitalista e suas contradições

No Brasil, em fins dos anos 1950, para amplos setores da sociedade, era preciso ser moderno, mas ao mesmo tempo popular. Esse era o dilema da cultura brasileira até o início dos anos 1960. Mas os caminhos e as interpretações do que era ser moderno variavam conforme os valores estéticos, sociais e ideológicos que informavam os artistas e os ligavam aos outros segmentos da sociedade brasileira.

Para as massas populares, as transformações socioeconômicas dos anos 1950 consolidaram uma cultura de massa urbana (ou melhor, suburbana), cujos circuitos culturais eram o rádio e as chanchadas, além do consumo de uma cultura norte-americana cada vez mais presente e hegemônica no mercado, desde os anos 1940.

Havia também um circuito cultural mais sofisticado, que não chegava a ser uma cultura erudita, como a música, a literatura, mas era uma tentativa das elites econômicas, sobretudo as de São Paulo, de criar uma cultura de massa sofisticada, bem produzida, altamente profissionalizada e inserida numa estética internacional. Como exemplo, temos a experiência da Vera Cruz e o Teatro Brasileiro de Comédia. Também fazia parte desse projeto, qual seja, inserir o Brasil (e particularmente São Paulo) no circuito cultural dos países mais desenvolvidos, iniciativas que não faziam parte do campo da cultura de massa, mas que visavam aprimorar o gosto médio da população brasileira. O Masp, por exemplo, pode ser compreendido, em parte, a partir deste espírito. Como disse o cineasta Nelson Pereira dos Santos, São Paulo queria produzir cultura para o mundo, enquanto o Rio de Janeiro queria produzir cultura para o Brasil.

Como variante dessa busca de aprimoramento e atualização da cultura brasileira e do gosto vigente, sobretudo entre as elites artísticas e intelectuais, podemos compreender o papel das vanguardas dos anos 1950, como o Concretismo. Movimentos como esse atuavam em áreas de menor público, como a poesia e as artes plásticas, mas que eram importantes entre os segmentos sociais mais intelectualizados, considerados formadores de opinião.

Num outro polo, menos preocupados com a forma e mais com o conteúdo (ou melhor, com a expressividade das obras), consolidou-se nos anos 1950 uma cultura de esquerda, engajada, que aglutinou literatos, dramaturgos, cineastas, com o apoio direto e indireto do Partido Comunista Brasileiro. Com o tempo, em meados dos anos 1950, essa variante da cultura brasileira deixou de gravitar unicamente em torno do Partido, ganhando públicos mais amplos, até politicamente descompromissados, e interferindo na própria cultura de massa (sobretudo no âmbito da música popular e na dramaturgia). A consagrada trajetória do Teatro de Arena (e do Opinião), da MPB e o impacto do Cinema Novo (menos no público e mais entre artistas e intelectuais) são exemplos contundentes da hegemonia cultural da esquerda que se impôs nos anos 60. Nesse novo ambiente cultural, temas como moderno ou popular, forma ou conteúdo, nacionalismo ou cosmopolitismo deram o tom dos debates.

Veremos no próximo capítulo como a cultura brasileira nos anos 1960 conseguiu expressar as várias tendências, consideradas na época como opostas e autoexcludentes.

# A cultura a serviço da revolução (1960-1967)

## ARTE E POLÍTICA: o CPC da UNE

O projeto político-cultural do Centro Popular de Cultura da União Nacional dos Estudantes, tal como foi apresentado no manifesto da entidade, elaborado por volta de 1962, foi herdeiro da forma pela qual o problema do espaço político e social do nacional-popular foi lido pelo Partido Comunista. Não significa que todas as pessoas que participavam do CPC eram "comunistas de carteirinha", como se dizia, mas de alguma forma gravitavam em torno da cultura nacionalista de esquerda, da qual o PCB era um grande defensor. Eram jovens, quase sempre estudantes e artistas os que se articularam, a partir de 1961, em torno da UNE, e passaram a defender que a entidade tivesse uma política cultural mais atuante. O ponto comum entre eles era a defesa do nacional-popular, expressão que designava, ao mesmo tempo, uma cultura política e uma política cultural das esquerdas, cujo sentido poderia ser traduzido na busca da expressão simbólica da nacionalidade, que não deveria ser reduzida ao regional folclorizado (que representava uma parte da nação), nem com os padrões universais da cultura humanista – como na cultura das elites burguesas, por exemplo.

O texto-base do Manifesto do CPC tentava mostrar como o jovem artista engajado poderia "optar por ser povo", mesmo tendo nascido no seio das famílias mais abastadas. Aliando formação e talento, com os estilos e conteúdos da cultura popular, o artista engajado poderia ajudar a construir a autêntica cultura nacional, cuja tarefa principal era estimular a conscientização em prol da emancipação da nação diante dos seus usurpadores (nacionais e estrangeiros) O Manifesto cio CPC/UNE tentava disciplinar a criação engajada dos jovens artistas. Como tarefas básicas, na medida em que o governo João Goulart assumia as reformas de base como sua principal bandeira, o CPC se dispunha a desenvolver a consciência popular, considerada a base da libertação nacional. Mas antes de atingir o povo, o artista deveria se converter aos novos valores e procedimentos, nem que, para isso, sacrificasse o seu deleite estético e a sua vontade de expressão pessoal, em nome de uma pedagogia política que atingisse as massas, estudantis e trabalhadoras. O manifesto foi redigido pelo economista Carlos Estevam Martins e apresentado em outubro de 1962. Outros nomes importantes da esquerda nacionalista do momento eram o poeta Ferreira Gullar e o dramaturgo Oduvaldo Vianna Filho. No CPC da Bahia, destacava-se o jovem crítico de cinema e cineasta, Glauber Rocha.

Vejamos alguns trechos importantes do Manifesto do CPC da UNE:

> Os artistas e intelectuais do CPC não sentem qualquer dificuldade em reconhecer o fato de que, do ponto de vista formal, a arte ilustrada descortina para aqueles que a praticam as oportunidades mais ricas e valiosas, mas consideram que a situação não é a mesma quando se pensa em termos de conteúdo [...]. Com efeito, seria uma atitude acrítica e cientificamente irresponsável negar a superioridade da arte de minorias sobre a arte das massas no que se refere às possibilidades formais que ela encerra.

Não havia dúvida, segundo o Manifesto do CPC, de que a arte de elite era superior, formalmente, em relação à arte popular, oferecendo mais possibilidades formais ao artista. Portanto, o que se priorizava na obra não era a sua qualidade estética, mas um veículo ideológico adequado às preocupações nacionalistas em voga.

Sobre o procedimento formal que deveria culminar na obra de arte, o Manifesto separava dois planos distintos:

> Por um lado ela tem antes o caráter sociológico de levantamento das regras e dos modelos, dos símbolos e dos critérios de aprecia-

ção estética que se encontram em vigência na consciência popular [...]. Outra direção em que se desdobra a pesquisa formal do artista revolucionário consiste no trabalho constante de aferir os seus instrumentos a fim de com eles poder penetrar cada vez mais fundo na receptividade das massas. Certamente mais rigorosas e implacáveis as regras que dirigem o processo de comunicação com as massas do que aquelas que facilitam o entendimento com as elites.

O procedimento de criação sugerido visava direcionar o artista-intelectual engajado para a busca de inspiração nas "regras e modelos dos símbolos e critérios de apreciação" das classes populares (camponeses, operários) portadoras inconscientes da expressão genuinamente nacional. O objetivo era facilitar a comunicação com as massas, mesmo com o prejuízo da sua expressão artística, a partir de procedimentos básicos: 1) adaptando-se aos defeitos da fala do povo; 2) submetendo-se aos imperativos ideológicos populares; 3) entendendo a linguagem como meio e não como fim.

O LP *O povo canta* pode ser visto como uma tentativa de constituir uma música engajada de cunho exortativo e didatizante (que não chegou a constituir um gênero valorizado no processo de consagração da MPB ao longo dos anos 1960). O LP trazia cinco faixas: "O subdesenvolvido" (Carlos Lyra/Francisco de Assis), "João da Silva" (Billy Blanco), "Canção do trilhãozinho" (Carlos Lyra / Francisco de Assis), "Grileiro vem" (Rafael de Carvalho), "Zé da Silva" (Geny Marcondes/Augusto Boal).

"O subdesenvolvido", a música mais famosa do LP tematizava as agressões imperialistas sofridas pelo Brasil, construindo-se como uma espécie de *suite* (fado, marcha, valsa, *fox* e *rock* balada) cortada pelo bordão "subdesenvolvido", cantado em coro. A letra oscila entre a denúncia e o deboche, remetendo à tradição do teatro de revista carioca (aliás, uma das fontes de certas canções engajadas daquele período). "João da Silva", um samba, também mantém o tom de crítica ao imperialismo, mostrando didaticamente quantos produtos estrangeiros o homem comum de classe média consome no seu dia a dia, terminando por assimilar a cultura norte-americana: "diz que não gosta de samba e acha o *rock* uma beleza". "Trilhãozinho', um samba misturado com *jazz*, parodia a inveja do brasileiro em relação ao poder das divisas norte-americanas, alterando o gênero musical em função da fala do nacionalista (um samba tipo bossa nova) e da fala do imperialista (*boogie*). O coco, gênero nordestino, é escolhido para louvar a resistência coletiva dos posseiros urbanos, vítimas do grileiro que quer tomar o terreno onde vivem. A sanfona e a percussão nordestina (triângulo, bumbo) criam um clima de forró, de festa, na qual de antemão fica celebrada a vitória do povo. A última faixa, "Zé da Silva", critica as falsas liberdades democráticas, válidas apenas para a burguesia, conforme a visão da época, que para o trabalhador despossuído pouco interessavam. A canção apoia seu efeito dramático na alternância entre refrão – pergunta do coro: "Zé da Silva é um homem livre / o que ele vai fazer?" – e estrofe – tentativa de resposta: "sem comida, liberdade é mentira, não é verdade".

Outra iniciativa cultural do CPC foi a série de cadernos poéticos chamados "violão na rua", nos quais eram reproduzidos poemas engajados e, às vezes, didáticos, tentando ensinar o povo a fazer política e desenvolver uma consciência nacional libertadora.

O CPC ainda produziu um filme chamado *Cinco vezes favela*, que revelou para o cinema brasileiro jovens diretores, como Joaquim Pedro de Andrade, Leon Hirszman, Arnaldo Jabor. Na verdade, esse filme era a junção de cinco curtas-metragens que apresentavam o mesmo tema sob diversas perspectivas: a favela. Dois dos que mais chamaram a atenção foram *Pedreira de São Diogo* (L. Hirszman) e *Couro de gato* (Joaquim Pedro de Andrade), que relata uma história em que vários garotos saem pelas ruas do Rio de Janeiro e tentam conseguir alguns gatos para vender na favela. Na época de carnaval, o couro dos gatos era bastante valorizado, pois era a matéria-prima dos instrumentos de percussão. Ao final da história, um dos meninos se afeiçoa ao bichano, entrando em conflito com a sua necessidade de sobrevivência.

## MÚSICA POPULAR: a bossa engajada

Se alguns jovens intelectuais do movimento estudantil tentavam incorporar a Bossa Nova como uma base legítima da música engajada, as posições veiculadas pelo Manifesto do Centro Popular de Cultura da UNE deixavam os jovens músicos numa posição delicada. Ao contrário do que afirmara Carlos Lyra numa das reuniões inaugurais do CPC, assumindo-se como burguês, dada sua origem e formação cultural, o Manifesto insistia que ser povo era uma questão de opção, obrigatória ao artista comprometido com a libertação nacional. Abandonar o seu mundo era o primeiro dever do artista burguês que quisesse se engajar. Muitos destes criadores se recusaram a exercer esse tipo de populismo cultural. Podemos perceber essa tensão no episódio envolvendo o compositor Carlos Lyra. Segundo seu depoimento, a ideia inicial do primeiro núcleo do futuro CPC, reunido em 1961, foi a criação de um "Centro de Cultura Popular", vetado por Carlos Lyra. A inversão da sigla não foi mero capricho do compositor, conforme suas próprias palavras:

> Eu, Carlos Lyra, sou de classe média e não pretendo fazer arte do povo, pretendo fazer aquilo que eu faço [...] faço bossa nova, faço teatro [...] a minha música, por mais que eu pretenda que ela seja politizada, nunca será uma música do povo.

O caminho oposto foi esboçado por músicos que buscavam uma Bossa Nova nacionalista ou uma canção engajada, no sentido amplo da palavra.

Carlos Lyra, Sérgio Ricardo, Nelson Lins e Barros, Vinicius de Moraes e outros, destacavam a música popular como meio para problematizar a consciência dos brasileiros sobre sua própria nação e elevar o nível musical popular. Na perspectiva deles, a ideologia nacionalista era um projeto de um setor da elite que, a médio prazo, poderia beneficiar a sociedade como um todo e a "subida ao morro" (expressão que sintetizava o contato com as classes populares) visava muito mais ampliar as possibilidades de expressão e comunicação da música popular renovada do que imitar a música das classes populares. Essa perspectiva foi mais determinante até 1964, quando a conjuntura mudou e levou alguns artistas de esquerda a se aproximar das matrizes mais populares da cultura brasileira (como as praticadas nas comunidades do morro e do sertão) como uma reação ideológica ao fracasso da "frente única" (a política de aliança de classes sociais e tendências políticas diferentes em nome da defesa da nação) idealizada pelo PCB.

Um ponto deve ser sublinhado: mesmo que em alguns momentos e obras específicas alguns músicos engajados tentassem realizar os preceitos do Manifesto do CPC, o conjunto de formulações estéticas e ideológicas pouco informou a produção musical do campo que mais tarde ficou conhecido genericamente como "canção de protesto nacionalista". Aliás, áreas como o cinema, as artes plásticas e a música (popular e erudita), pouco foram influenciadas – esteticamente falando – pelo Manifesto do CPC. Nesse sentido, o manifesto permaneceu mais como uma proposta de discussão e como defesa de uma nova postura do artista, do que como uma plataforma estética de criação artística.

Em 1961, o lançamento da canção "Quem quiser encontrar o amor", autoria de Carlos Lyra e Geraldo Vandré, interpretada por este último, foi considerado um marco na tentativa de criação de uma "Bossa Nova participante", ou seja, portadora de uma mensagem mais politizada trabalhando com materiais musicais do samba tradicional. A letra rompia com o elogio do "estado de graça" da bossa nova, em cujas canções a figura do "amor" surge como um corolário do estado musical-existencial do ser, embora, musicalmente, mantivesse alguns dos seus elementos. Nesta canção, o amor surge como fruto de sofrimento e luta e o mundo não era mais azul, como o mar de Ipanema.

Entre esta versão do disco citado e a do filme *Couro de gato*, notam-se algumas diferenças interessantes. A primeira entrada da canção, como trilha sonora, ocorre em canto coletivo apoiado na bateria, num retorno ao samba quadrado. O arranjo do maestro Carlos Monteiro de Souza, utilizava-se do efeito timbrístico do trombone (instrumento típico do samba de gafieira, bastante popular) e da percussão, instrumentos pouco utilizados pela bossa nova. A participação de um conjunto vocal de mulheres, com vozes típicas dos coros dos sambas de morro, também valoriza a entoação tradicional (o que não é destacado na versão cantada por Geraldo Vandré).

Ao lado de "Zelão", "Quem quiser encontrar o amor" tornou-se uma variante do padrão bossanovista, lançando as bases para uma canção nacionalista e engajada, sem abrir mão totalmente das conquistas estéticas da Bossa Nova. As duas canções apresentam uma série de imagens poéticas que se tornaram recorrentes na canção engajada: a romantização da solidariedade popular; a crença no poder da canção e do ato de cantar para mudar o mundo; a denúncia e o lamento de um presente opressivo; a crença na esperança do futuro libertador.

Por volta de 1962, o legado da Bossa Nova já havia sido reprocessado na forma de um Samba moderno e participante, cujos criadores principais foram Carlos Lyra e Sérgio Ricardo. Restava, porém, o problema da realização da obra diante do público. A criação de algo diferente a partir das formas artísticas populares não era tão simples, embora não faltassem tentativas de aproximação e parceria dos sambistas do "asfalto" com os do "morro".

Dois álbuns podem ser destacados como sínteses criativas que procuraram objetivar, na forma de composição, interpretação e seleção de repertório, as teses desenvolvidas no debate citado anteriormente: *Depois do carnaval*, de Carlos Lyra (Philips, 1963) e *Um senhor de talento*, de Sérgio Ricardo (Elenco, 1963). A tentativa de estabelecer as bases estéticas e ideológicas de uma Bossa Nova nacionalista, que correspondesse às expectativas da juventude de esquerda que se engajava no processo de reformas de base do governo Jango, encontrou nesses dois álbuns sua expressão mais delineada. Esses dois álbuns, o de Carlos Lyra, com sua orquestração compacta e sua interpretação mais expressiva, e o de Sérgio Ricardo, propondo a utilização do material folclórico sem abandonar o intimismo da Bossa Nova, lançaram as bases musicais e ideológicas para o tipo de música que se desenvolveu na era dos festivais.

A música dita de elite teve progressiva aceitação pelo mercado: a Bossa Nova foi mais do que aceita pela corrente musical engajada. Ela continuou sendo a matriz das obras mais significativas dessa corrente, pelo menos até o golpe militar (1964). Os materiais musicais e os temas poéticos dos segmentos populares não foram negligenciados, mas os procedimentos e parâmetros de composição determinantes foram dados pelo estilo da bossa nova. Essa tentativa de fusão traduzia, no âmbito musical, a estratégia política da "frente única" proposta pelo PCB, ou seja, a aliança entre intelectuais e povo contra os usurpadores da nação: multinacionais imperialistas, latifundiários retrógrados, banqueiros parasitas – conforme os termos da época.

Enquanto na música popular discutia-se a possibilidade de uma bossa nova mais engajada e nacionalista, a música erudita retomava o experimentalismo de vanguarda como procedimento básico, buscando novas combinações harmônicas, timbrísticas e novos efeitos sonoros. O surgimento do Grupo Música Nova, por volta de 1961, traduzia essa busca, numa reação ao nacionalismo de esquerda. Apesar disso, alguns nomes ligados ao movimento eram militantes e simpatizantes do PCB, como Rogério Duprat (militante até 1965), Gilberto Mendes (militante até 1958 e simpatizante após esta data) e Willy Correa de Oliveira. Eles tentavam desenvolver uma leitura diferente do que significava nacionalismo na música, articulando-o com a pesquisa formal mais destacada. Na contundente definição de Rogério Duprat, o nacionalismo deveria ser visto em

> função do conflito fundamental entre o país e o imperialismo [o que] determina uma retroação pragmática (luta anticolonialista) e no plano ideológico uma busca de afirmação de nossa cultura, que nada tem a ver com o folclorismo, os ingênuos regionalismos e os trôpegos balbucios trogloditas da arte "nacionalista".

O manifesto do grupo, de 1963, apontava para os seguintes princípios de criação musical: 1) desenvolvimento interno da linguagem musical, retomando as experiências musicais contemporâneas (século XX); 2) vinculação da música aos meios de comunicação de massa; 3) compreensão da música como fenômeno humano global; 4) refutação do personalismo romântico e do "folclorismo populista"; 5) necessidade de redefinir a educação musical, baseando-se na interação com outras linguagens e na pesquisa livre; 6) conceber a música como atividade interdisciplinar (devendo se articular à poesia, arquitetura, artes plásticas etc.).

Mas, na medida em que a prática musical, no segmento "erudito", não comportava intervenções tão radicais, que não eram aceitas nem pela maioria dos músicos nem pela maioria do público "erudito", frequentador dos concertos, os músicos de vanguarda se voltavam para duas perspectivas: o diálogo com os segmentos mais criativos da música popular (como os tropicalistas, a partir de 1967) e a inserção no sistema de ensino musical acadêmico, nos departamentos de artes e de música das universidades, dentro dos quais formaram várias gerações de músicos eruditos e populares.

## O CINEMA NOVO

A rigor, o movimento do Cinema Novo começou por volta de 1960, com os primeiros filmes de Glauber Rocha, Ruy Guerra e outros jovens cineastas engajados e durou até 1967. Inspirados no neorrealismo italiano e na *nouvelle vague* francesa, que defendia um cinema de autor, despojado, fora dos grandes estúdios e com imagens e personagens mais naturais possíveis, o movimento rapidamente ganhou fama internacional. Os "veteranos" Nelson Pereira dos Santos e Roberto Santos logo foram incorporados ao Cinema Novo, ao mesmo tempo que novos nomes iam surgindo: Arnaldo Jabor, Cacá Diegues, Leon Hirszman, entre outros.

Entre 1960 e 1964, grandes filmes foram realizados, em nome do movimento: *Barravento* (Glauber Rocha, 1960), sobre os pescadores do nordeste; *Vidas secas* (Nelson Pereira dos Santos, 1963) sobre o drama dos retirantes, baseado no livro de Graciliano Ramos; *Os fuzis* (Ruy Guerra, 1964), sobre um grupo de soldados que deve proteger um armazém ameaçado por flagelados da seca nordestina; e o famoso *Deus e o Diabo na terra do sol* (Glauber Rocha, 1964), parábola sobre o processo de conscientização de um camponês que passa pelo messianismo, pelo cangaço e termina sozinho, desamparado, mas livre, correndo em direção ao seu destino. Como se pode ver pelos temas, o Nordeste, ao lado das favelas cariocas, era o tema preferido desse tipo de cinema, o que nem sempre agradava o público de classe média, acostumado ao *glamour* hollywoodiano. Mas a intenção era precisamente chocar, não só o público médio brasileiro, mas também a visão dos estrangeiros sobre o nosso país. A proposta desses filmes era mostrar a realidade brasileira e as relações sociais conflituosas, ambientadas sobretudo no mundo rural, sem romantizar os personagens e as situações (como até então se fazia). Além disso, optavam por um cenário natural e uma linguagem crua, evitando transmitir um clima de estúdio ou de artificialidade nos diálogos e nas personagens, marcas do cinema convencional.

O princípio norteador do movimento era a "estética da fome", título de um famoso manifesto escrito por Glauber Rocha, em 1965. O manifesto, diagnosticando a situação do cinema brasileiro e latino-americano, diz: "Nem o latino comunica sua verdadeira miséria ao homem civilizado nem o homem civilizado compreende verdadeiramente a miséria do latino [Por isso somos] contra os exotismos formais que vulgarizam os problemas sociais". Em seguida, Glauber defendia a ideia de que a fome era o nervo da sociedade subdesenvolvida, denunciando um tipo de cinema que ora escondia, ora estilizava a miséria e a fome. Para ele, só o Cinema Novo soube captar essa fome, na forma de imagens sujas, agressivas, toscas, cheias de violência simbólica: "O que fez o Cinema Novo um fenômeno de importância internacional foi justamente o seu alto nível de compromisso com a verdade; foi seu próprio miserabilismo, antes escrito pela literatura de 30 e agora fotografado pelo cinema de 60". Mais adiante o manifesto diz que a "fome", ao se transformar em problema político, nega tanto a visão do estrangeiro, que a vê como "surrealismo tropical", como a visão do brasileiro, que a entende como uma "vergonha nacional". A solução estética e política se encontravam, num trecho bem ao estilo do terceiro-mundismo dos anos 1960: "A mais nobre manifestação cultural da fome é a violência [...] o Cinema Novo, no campo internacional, nada pediu, impôs-se pela violência de suas imagens [...] pois através da violência o colonizador pode compreender, pelo horror, a força da cultura que ele explora".

Curiosamente, o maior triunfo do cinema brasileiro, o filme *O pagador de promessas*, não era aceito como parte do conjunto de obras do Cinema Novo e sua "estética da fome", pelos principais diretores do movimento. Alguns anos antes, esse filme, dirigido por Anselmo Duarte, ganhara o prêmio máximo do Festival de Cannes de 1962. A comovente história de Zé do Burro, homem que quer entrar com uma cruz na Igreja para pagar uma promessa, mas é barrado na porta pelo padre, que não admitia aquela "blasfêmia", não pode ser enquadrada nos princípios da violência simbólica. Mais próximo de uma estética neorrealista e dentro dos padrões clássicos de narrativa cinematográfica linear, *O pagador de promessas* não buscava o choque, mas fazia com que o público, independentemente da classe social ou da formação cultural, sofresse junto com aquele homem simples, cuja única desgraça foi querer agradecer a Deus por ter salvado seu jumento, peça fundamental no seu trabalho diário de camponês.

Cartaz do filme que consagrou Glauber Rocha, *Deus e o Diabo na terra do sol*, 1964. Acervo pessoal do autor.

Choque ou identificação, Corisco ou Zé do Burro, *Deus e o Diabo na terra do sol* ou *O pagador de promessas*. Esse dilema que o cinema brasileiro enfrentava pode ser considerado a síntese dos impasses que marcavam a arte engajada brasileira, sobretudo após o golpe militar de 1964.

## O GOLPE MILITAR de 1964 e a cultura

O golpe militar de 1º de abril de 1964 causou uma enorme perplexidade na esquerda e nos nacionalistas que, de maneira geral, acreditavam na necessidade histórica das reformas propostas pelo governo João Goulart. A queda rápida e sem resistência do governo Jango passou a ser um grande enigma político a ser decifrado: como um governo eleito e com razoável apoio popular caíra tão facilmente, diante de uma conspiração conservadora e nitidamente apoiada por interesses estrangeiros? Como um governo que está na "direção certa da História", como acreditava a esquerda, podia ser deposto tão facilmente?

Uma das respostas, do ponto de vista da ideologia da esquerda da época, seria averiguar um possível descompasso entre a marcha da história e a consciência popular. Em outras palavras, a percepção de que o trem da história andou para a estação prevista, mas os passageiros se esqueceram de embarcar nele parece ter tomado conta de boa parte da esquerda. Essa percepção era acompanhada por uma profunda crise de consciência diante do novo quadro de incertezas políticas pelo qual o Brasil passava.

Mas havia outra faceta da derrota de 1964: a frustração, somada à sensação de isolamento político que se abateu sobre os setores nacionalistas, acabou por estimular um processo de autonomia, quase isolamento, dos intelectuais e artistas, diante das estruturas partidárias fragilizadas. O debate intelectual entre 1964 e 1968, no qual se inseriu o problema da criação artística engajada, foi estimulado pela busca de novas perspectivas culturais e políticas para entender a nova conjuntura nacional. Os artistas e intelectuais se abriram para um debate mais livre, em busca das respostas do porquê da derrota que, paradoxalmente, explica, em parte, o grande vigor cultural e artístico que caracterizou o período entre 1964 e1968.

O regime militar, implantado em abril de 1964, enquanto dissolvia as organizações populares e perseguia parlamentares, ativistas políticos e sindicalistas, paradoxalmente não se preocupou de imediato com os artistas e intelectuais. Entre 1964 e 1968 houve uma relativa liberdade de criação e expressão, mesmo sob a vigilância do regime autoritário. A estratégia do regime era simples: isolado, cantando para a classe média consumidora de cultura, o artista não era um perigo. Suas entidades políticas de ligação com as classes perigosas, ou seja, os operários e camponeses, foram dissolvidas, e restava ao artista engajado cantar para quem podia comprar sua arte. É claro, na conjuntura de 1968, como veremos no próximo capítulo, essa estratégia mudou, pois o cenário de radicalização atingiu uma boa parte da classe média, refletida nas ações de massa do movimento estudantil e na guerrilha em marcha.

A esquerda, forçada pela nova conjuntura, inverteu a "equação" político-cultural proposta pelo Manifesto do CPC, que subordinava a consciência social (a elaboração cultural, a ideologia) ao ser social (as determinações materiais e de classe social). A consciência social se transformava em prioridade na luta contra o regime, na medida em que o fim da política econômica nacionalista e o autoritarismo político implantado colocavam em xeque as posições tradicionais da esquerda. A cultura passou a ser supervalorizada, até porque, bem ou mal, era um dos únicos espaços de atuação da esquerda politicamente derrotada.

A partir desse novo quadro, outras questões se colocavam: O que cantar? Onde cantar? Para quem cantar? Onde estaria o povo, o receptor idealizado das mensagens conscientizadoras? Esse debate coincidiu com a reestruturação da indústria cultural brasileira, que se abriu para algumas vertentes da arte engajada. Isto não significa que o artista engajado de esquerda tenha sido cooptado pela indústria cultural, em consequência, vendo sua arte neutralizada e consumida como se fosse sabão ou uma outra mercadoria qualquer. Nas áreas da música popular e do teatro, a discussão sobre a profissionalização do artista e a necessidade de assumir o debate sobre sua inserção no mercado não surgiram como reação ao novo contexto político-econômico, nascido após 1964. Surgiu antes. Por exemplo, Oduvaldo Vianna Filho, no começo da década de 1960, já apontava para a necessidade de profissionalizar a atividade teatral engajada. A Bossa Nova, mesmo em sua vertente engajada, também representava uma nova perspectiva de acabamento do produto cultural e de profissionalização do músico popular, desde o seu primeiro momento.

### *Opinião* e *O desafio*: duas respostas aos impasses da esquerda

Uma breve análise de dois produtos culturais da esquerda serve para começar a entender as duas formas de reação ao golpe militar: o triunfalismo e a perplexidade. De um lado, temos o lendário espetáculo *Opinião*, que estreou em dezembro de 1964 e reafirmou a possibilidade, cultural e política, de uma "aliança de classes" contra o regime. Por outro, o filme *O desafio* (Paulo Cesar Sarraceni, 1965) representava a vida de um jornalista de esquerda que se sente sozinho e deprimido, emocional e politicamente, após o golpe militar.

O espetáculo *Opinião* foi considerado, até então, a reação cultural mais contundente ao novo regime autoritário. Foi escrito por Oduvaldo Vianna Filho, Paulo Pontes e Armando Costa, e protagonizado pelos artistas Nara Leão (posteriormente substituída por Maria Bethânia, que se tornou uma grande sensação para o público, ao interpretar a música "Carcará"), Zé Keti e João do Vale. Estreou no dia 11 de dezembro de 1964.

O programa-manifesto do espetáculo, escrito pelos autores, não deixava dúvidas quanto às suas intenções: "A música popular é tanto mais expressiva quando tem uma opinião, quando se alia ao povo na captação de novos sentimentos e valores necessários para a evolução social". Além disso, outra proposta declarada era "manter vivas as tradições de unidade e integração nacionais". A escolha de uma jovem de classe média (Nara Leão), de um camponês do norte (João do Vale) e de um sambista do morro (Zé Keti) como protagonistas do espetáculo simbolizava a aliança social que fundamentava a "frente única nacionalista", politicamente derrotada, mas culturalmente ainda triunfante...

Num certo sentido, *Opinião* radicalizava e tentava realizar os termos do Manifesto do CPC. Colocando-se como uma autocrítica ao campo musical e teatral da esquerda, tal como foram desenvolvidos no pré-golpe, o espetáculo procurou desenvolver formas populares de comunicação, negando tanto o "teatro de autor" (subjetivo), quanto a "música de elite" (sofisticada), de acordo com os termos da época. Boa parte do material poético e musical apresentado foi resultado do método de pesquisa "folclórica", como o próprio programa faz questão de frisar. As canções eram alternadas com piadas e diálogos que procuravam demarcar o posicionamento diante da situação política autoritária e entreguista, patrocinada pelo regime militar. Do repertório total de *Opinião*, cerca de cinco músicas são de João do Vale, sete de Zé Keti e duas folclóricas. As outras músicas são de compositores conhecidos do circuito bossanovista, como Sergio Ricardo e Carlos Lyra ("Esse mundo é meu" e "Marcha da quarta-feira de cinzas").

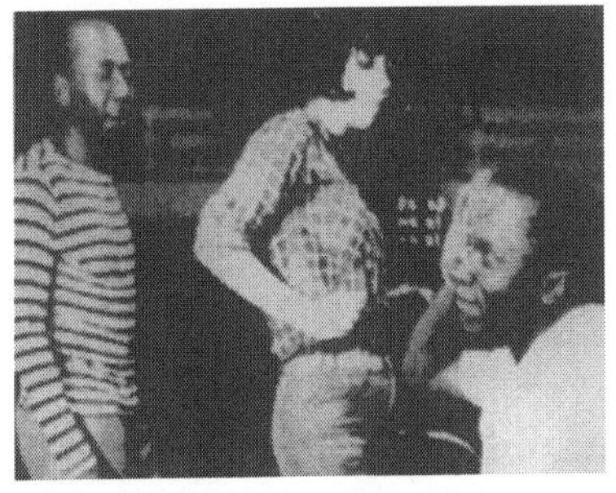

Foto do lendário *Opinião*. Maria Bethania, Nara Leão, João do Vale e Zé Keti, formavam o elenco, 1965.

É preciso lembrar que o *Opinião* não foi a única tentativa de articular, por meio da música, o drama, a poesia e a crítica social nos palcos brasileiros naquele momento. A título de exemplo, listamos algumas outras montagens teatrais encenadas entre 1964 e 1966, que davam grande destaque à parte musical.

- Os Azeredos mais os Benevides
- Arena conta Zumbi
- Arena canta a Bahia
- Rosa de ouro
- Telecotecto nº1
- A voz do povo
- Esse mundo é meu
- O samba pede passagem
- Recital de samba (Baden Powell)
- Bar doce bar
- Se correr o bicho pega, se ficar o bicho come
- João Amor e Maria
- A criação do mundo (Ary Toledo)
- Morte e vida severina
- Liberdade, liberdade

Esses espetáculos traduziram um grande debate no cerne da cultura nacional-popular, que passava por um momento de autoquestionamento. A partir do golpe, a ênfase maior era sobre os elementos populares, fazendo com que este polo desse sentido ao nacional. Antes do golpe era mais comum que o nacional configurasse o popular. Por exemplo, a canção engajada pré-golpe era caracterizada por uma tentativa de adequação entre sofisticação estética e pedagogia política, na busca de um produto cultural nacional de alto nível. Já os espetáculos musicais do teatro se pautaram por outras questões. Grosso modo, marcaram a busca utópica da identidade popular mais genuína possível, que deveria nortear a nova postura do intelectual nacionalista. Mas essa postura, por mais que se tentasse, não conseguia resolver o velho dilema da aliança entre intelectual e povo: o primeiro, ao falar pelo segundo, construía seu discurso por meio de um conjunto de representações simbólicas que tendiam a desconsiderar as possíveis características do povo "real", em todas as suas contradições. A forma assumida pela arte engajada para resolver o impasse entre "ser popular" (buscar inspiração na cultura do povo idealizada) ou "popularizar-se" (no sentido de ampliar sua audiência e comunicar a sua mensagem), acabou conduzindo a novos impasses na medida em que, entre o artista e o povo, se impunha cada vez mais a *mídia* e a indústria cultural (sobretudo na música popular).

De qualquer forma, o *Opinião* destacou-se por ter assumido a necessidade de se colocar os problemas socioculturais do país numa perspectiva mais popular do que "nacional", e esse talvez seja o seu sentido histórico mais importante. Ao mesmo tempo em que representou uma continuidade na ideia de aliança de classes, *Opinião* reduziu a amplitude dela, dando mais ênfase ideológica e estética ao popular, na construção da resistência ao regime (nestes parâmetros situam-se outros espetáculos de sucesso, como *Liberdade, liberdade*, *Arena conta Zumbi*).

*Arena conta Zumbi*, depois do *Opinião*, foi o musical de maior sucesso daqueles anos. Estreou em São Paulo em 1/5/1965, inaugurando uma longa temporada de apresentações até 1967. Teve alguns problemas com a censura, mas isto acabou se revertendo positivamente como propaganda da peça. *Arena conta Zumbi* foi, basicamente, um espetáculo musical que dramatizava a resistência do Quilombo de Palmares, surgido no século XVII em Alagoas, para homenagear a resistência dos oprimidos de todas as épocas. O sucesso do espetáculo tornou conhecido o jovem compositor Edu Lobo, figura importante no panorama musical dos anos 1960, cujo trabalho se direcionava numa articulação singular entre materiais musicais folclóricos e técnicas de composição bastante complexas. A ideia de fundo, e neste sentido *Zumbi* procura ser mais crítico que *Opinião*, era a tese de que os negros revoltosos foram derrotados pela repressão porque acreditaram numa possível aliança com os brancos pobres, com os quais comercializavam. Fragilidades historiográficas à parte, o alvo dessa crítica era a fracassada "frente única" que garantiria as reformas de base. Nesse sentido, *Arena...* também funcionou como um momento de repensar a perspectiva política que informava os segmentos nacionalistas, após o golpe de 1964.

De certa maneira, *Opinião* e *Zumbi* se equivalem: ambos desempenharam uma função catártica em relação à frustração política pós-1964, inclusive pelo apelo à emoção e ao riso. Acabaram configurando um espaço cultural que aglutinou uma parcela da sociedade na resistência ao golpe: o "jovem intelectualizado de classe média" e construiu uma comunidade de valores que reforçava, simbolicamente, sua vontade de resistir. Eram uma espécie de vitória simbólica sobre os novos donos do poder, desafiando as interdições e a repressão policial.

Por outro lado, uma das obras de arte mais representativas do contexto pós-golpe militar, que ajudou a articular, simbolicamente, a sensação de perplexidade da esquerda brasileira, foi o filme *O desafio*. Produzido em 1965, o filme estreou em 1966, narrando as crises afetivas e políticas de dois personagens emblemáticos (Marcelo e Ada) da juventude de esquerda brasileira. Inaugurou um ciclo de revisão ideológica e estética que o Cinema Novo radicalizou em relação aos valores do nacional-popular, tratado no filme como um conjunto de crenças "perdidas e sem retomo". Apesar dessa reavaliação crítica, os problemas tratados no filme ainda demonstram a presença dessa cultura política no quadro de reflexões e impasses experimentados pela esquerda até 1968.

Aliás, foi na área do cinema que a autocrítica da esquerda, refletindo sobre as razões da derrota de 1964, radicalizou-se mais cedo, tentando se livrar das ilusões políticas e ideológicas que estavam por trás dos elementos culturais e estéticos que compunham a cultura política nacional-popular e seu mito da aliança de classes.

Nesse sentido, o filme *Terra em transe*, de Glauber Rocha (1967), será a síntese mais radical ao narrar as desventuras políticas e existenciais de Paulo, poeta e político de esquerda, em crise por perceber, tardiamente, que sempre havia servido a políticos traidores e oportunistas.

Ao contrário, as autocríticas oriundas do campo musical visavam retomar a ofensiva da música brasileira, em sua vertente nacionalista e engajada, que rearticularia a luta nacional-popular, sob bases mais populares, ampliando seu raio de influência. A autocrítica desenvolvida pelo cinema tinha um sentido muito mais radical e procurava repensar a difícil situação política e existencial do jovem intelectual de esquerda (aliás, o público privilegiado do Cinema Novo). Diga-se que, ao contrário da MPB, a área do cinema engajado tinha muitas dificuldades em popularizar-se para chegar ao grande público consumidor de cultura e, consequentemente, não tinha tanto compromisso com o sucesso comercial. As diferenças entre os espetáculos dramático-musicais (*Opinião*, *Zumbi* e outros) e as produções cinematográficas tributárias do Cinema Novo apresentam essa distinção fundamental, em relação ao público e ao lugar social ocupado por estes dois tipos de expressão artística.

## MÚSICA E TV: nasce a moderna indústria cultural brasileira

O processo cultural que ampliou, definitivamente, o público da MPB engajada e nacionalista foi a aliança deste gênero com a televisão. Como exemplo máximo desse processo, temos o programa o *Fino da Bossa*, que tornou conhecida uma das maiores cantoras brasileiras, um dos símbolos da moderna MPB: Elis Regina.

Ao longo dos anos 1950, a TV permaneceu como novidade, extravagância, acessível às faixas mais ricas da população das grandes cidades brasileiras. Desde 1962, com a introdução do *videotape* (que permitia gravar, editar e reproduzir programas, que até então eram feitos ao vivo), a televisão ganhou novos recursos e aprimorou seu aparato tecnológico de produção e transmissão de programas. Este ano marca o aumento significativo das verbas para a publicidade destinadas a este veículo (mais de 20%). A partir daí, as novelas diárias passaram a ser um grande fenômeno de audiência, como a longuíssima *O direito de nascer*, que hipnotizou os lares do Brasil em 1964. Os programas de variedades ou de auditório, como o *Noite de gala*, *Clube dos artistas*, Flávio Cavalcante, Hebe Camargo etc.), também eram campeões de audiência. Mas foram os programas musicais, sobretudo os festivais da canção, a partir de 1965, que trouxeram novos públicos para o veículo, harmonizando as exigências de qualidade e popularidade.

Os musicais de televisão eram antigos, mas até o início dos anos 1960 disputavam o público com o rádio. Com os musicais semanais (*Fino da Bossa*, *Bossaudade*, *Ensaio geral*, entre outros) consolidou-se uma nova linguagem musical e televisiva. Elis Regina, que, ao lado de Jair Rodrigues, comandava o *Fino da Bossa*, agradava ao gosto musical dos ouvintes do rádio, introduzindo as novidades e estilos musicais da Bossa Nova. O sorriso e o gestual, considerados por muitos exagerados, de Elis, eram perfeitos para o novo veículo, criando uma empatia com a sensibilidade do público mais amplo, que permanecia ao largo das sutilezas de João Gilberto, Tom Jobim e outros.

O lançamento do programa *Fino da Bossa* (maio de 1965) foi seguido do *Bossaudade,* com Eliseth Cardoso e Ciro Monteiro (julho de 1965) e do *Jovem Guarda* (setembro de 1965), com Roberto Carlos, Erasmo Carlos e Wanderléa. Todos esses musicais seriados eram líderes de audiência no seu horário, destinando-se a públicos diferentes. O *Fino da Bossa* ia ao ar às quartas-feiras, voltado para um público mais adulto ou intelectualizado, enquanto o *Jovem Guarda* era transmitido aos domingos, voltado para o público mais adolescente e descompromissado. Mas também era muito comum que houvesse pessoas assistindo aos dois programas, sem problemas.

O programa *Jovem Guarda* atingiu seu auge em 1966. Veiculava um tipo de *rock* ingênuo, mais próximo das baladas norte-americanas do final dos anos 1950 do que da revolução que os Beatles estavam conduzindo na música *pop*. O cantor e compositor Roberto Carlos transformou-se num fenômeno de popularidade, com suas músicas simples e letras consideradas alienadas pela esquerda, que falavam de garotas, carros e pequenas aventuras juvenis. Ao mesmo tempo, o movimento da Jovem Guarda disseminava um comportamento jovem, mais voltado ao uso de roupas e cabelos extravagantes, do que para o questionamento da moral e das expectativas de ascensão social da classe média (como será comum após 1968). O próprio Roberto Carlos tranquilizava os conservadores, como, por exemplo, na música "Mexericos da Candinha", na qual dizia: "...no fundo eu sou um bom rapaz". Mas para os nacionalistas e engajados da MPB, a Jovem Guarda representava a consciência alienada esvaziando a cabeça da juventude e a tensão entre os dois movimentos, em parte estimulada pela mídia, era crescente. Em 1967, a briga chegou no auge, motivando alguns episódios pitorescos, como a "passeata contra as guitarras elétricas", liderada por Elis Regina e Geraldo Vandré, que percorreu as ruas do centro de São Paulo, em julho de 1967.

Mas foram os Festivais da Canção os programas que mais agitaram a sociedade brasileira entre 1966 e 1968. Nestes anos, a fórmula "festival da canção" imperou na TV brasileira, tornando-se os seus programas de maior audiência. Inspirados inicialmente no famoso "Festival de San Remo", da TV italiana, os festivais brasileiros acabaram ganhando uma identidade e linguagem próprias. O produtor Solano Ribeiro introduziu esta fórmula na TV Excelsior, em 1965, mas foi na TV Record que o gênero se consagrou. O festival era um tipo de evento que reunia um conjunto de músicas inéditas, de 36 a 40, dependendo da emissora, em que se escolhia entre estas algumas finalistas que disputavam os principais prêmios, sobretudo o de "melhor canção". Entre 1966 e 1968, principalmente, os festivais acabaram sendo os principais veículos da manifestação da canção engajada e nacionalista, voltada para a discussão dos problemas que afligiam a sociedade brasileira.

Em outubro de 1966, a cidade de São Paulo parou para ver o II Festival de MPB da TV Record e torcer pela "A banda" (de Chico Buarque) ou pela "Disparada" (de Geraldo Vandré e Theo de Barros). No final, o júri decidiu que as duas canções ficariam com o primeiro lugar, agradando as duas torcidas. Estas músicas representavam, cada qual ao seu modo (uma mais nostálgica e lírica, a outra, mais agressiva e direta), facetas da realidade brasileira, valorizando gêneros considerados "autênticos" pela crítica de esquer-

Roberto Carlos, Erasmo Carlos e Wanderléa. O programa *Jovem Guarda* arromba a festa da MPB "séria". 1965.

da (uma marcha e uma toada). Com essas características, aliadas à boa qualidade das letras, as duas canções agradaram, sobretudo, a opinião pública mais engajada. Esse segmento vislumbrava, no movimento musical gerado pelos festivais, um tipo de resistência cultural ao regime militar, sobretudo porque valorizava os elementos culturais nacionais e populares. Assim, consagrou-se o termo Música Popular Brasileira (MPB), sigla que se tornou sinônimo de música comprometida com a realidade brasileira, crítica ao regime militar e de alta qualidade estética.

Coincidentemente, em setembro de 1966, os estudantes voltaram às ruas, realizando a sua "setembrada", um conjunto de protestos e passeatas contra o regime militar, criando um clima de oposição no país, acirrado pela ruptura entre o regime militar e alguns de seus aliados civis (como Carlos Lacerda). Havia no ar uma sensação de que a sociedade brasileira começava a reagir aos efeitos do golpe, e a volta da MPB ao primeiro plano da cena cultural, portadora de um claro matiz oposicionista, era uma espécie de sinal de que os tempos estavam mudando.

A TV possibilitou não só uma ampliação da faixa etária consumidora de MPB renovada (lembramos que a audiência do *Fino da Bossa* era basicamente familiar, se considerarmos o horário de transmissão), mas uma ampliação da audiência de MPB nas faixas sociais como um todo, na medida em que a TV era um fenômeno de classes médias, no sentido amplo: as classes B e C (que poderiam ser traduzidas como classe média alta e baixa, ainda sem os desníveis de cultura e renda atuais) detinham cerca de 70% dos aparelhos de televisão em São Paulo.

O antigo público de rádio, que passava cada vez mais para a TV a partir de meados da década de 1960, trazia outro conjunto de experiências musicais (e culturais), mais ligadas à tradição dos anos 1940 e 1950. Esse público passou a consumir uma música popular considerada "moderna", herdeira, em parte, da Bossa Nova. Mas esse aparente choque, na verdade pode não ter sido tão contrastante. Se examinarmos os grandes fenômenos musicais da TV brasileira e da música jovem – Elis Regina, Roberto Carlos e, mais tarde, Chico Buarque – veremos que antigos padrões de gosto musical, fornecidos pelo rádio, retornavam no veículo televisual. As presenças de sambistas da velha guarda (Adoniran Barbosa, Ciro Monteiro, Ataulfo Alves, entre outros) no *Fino da Bossa*, as comparações entre Chico Buarque e Noel Rosa, a aproximação de Geraldo Vandré com a moda de viola e o encontro (muito destacado pela mídia) entre Orlando Silva e Roberto Carlos (como numa cerimônia de passagem de cetro e coroa, sucessão de "reis" da canção), são exemplos do cruzamento de experiências culturais de origens diferentes. Ao mesmo tempo, nascia um novo conceito de MPB, herdeira da Bossa Nova e incorporadora de gêneros, estilos e obras que extrapolavam o estilo delimitado pelo movimento de 1959.

Elis Regina e Edu Lobo, no festival da TV Excelsior em 1965. Nascia a moderna MPB.

## SINAIS DE CRISE do "nacional-popular"

O ano de 1967 marcou o auge de popularidade da "arte engajada" brasileira. No cinema, na música, no teatro, na televisão, a impressão era de que o Brasil todo havia se convertido para a esquerda. Este fenômeno cultural contrastava com a realidade política do país, cada vez mais controlado por um regime que deixava clara sua disposição para ficar no poder, dissipando as ilusões daqueles que achavam que a ditadura era transitória. A partir do AI-2, o governo avisava: "Não se disse que a Revolução (sic) foi. A Revolução é e será...". Ou seja, era como se os militares dissessem: "viemos para ficar".

Para a esquerda, o ano de 1967 marcou uma cisão definitiva entre aqueles que, contra o regime, defendiam a "luta política" (ou seja, pacífica) e aqueles que defendiam a "luta armada". O PCB foi o partido de esquerda que mais perdeu quadros com esta ruptura. Seu Comitê Central defendia a luta política e importantes lideranças (Carlos Marighela, Jacob Gorender, entre outros) romperam com o partido e organizaram novos grupos, preparando a guerrilha contra o regime militar.

Entre um regime cada vez mais institucionalizado e disposto a manter o poder e uma esquerda disposta a radicalizar a luta contra os militares, a cultura também sofria um processo paradoxal, que poderia ser resumido na seguinte questão: a arte engajada (sobretudo na música popular e no teatro) e os intelectuais de esquerda desfrutavam de cada vez mais espaço e prestígio na mídia e na indústria cultural, ao mesmo tempo em que estavam cada vez mais isolados do contato direto com as classes populares. Seu público consumidor, bastante amplo e com bom potencial de consumo, concentrava-se na classe média dos grandes centros urbanos. A exceção, entre os artistas considerados engajados, eram Chico Buarque e Elis Regina, que tinham grande penetração popular.

Mesmo no teatro e no cinema, artes mais voltadas para o público intelectualizado, seus criadores gozavam de grande prestígio e espaço na imprensa. *Terra em transe*, de Glauber Rocha, foi o grande impacto cinematográfico do ano. No teatro, *O rei da vela*, dirigido por José Celso Martinez Correa, revolucionava o conceito de encenação e trazia o deboche e a crítica do comportamento e da moral sexual burguesa para os palcos brasileiros, retratando a trajetória de um capitalista emergente (Aberlardo I, o magnata das velas), cercado por uma família politicamente conservadora e falso-moralista, mas que acaba sendo enganado pelo seu assistente, também oportunista, e pelo seu sócio norte-americano. Mais importante que o enredo em si foi a forma de encenação, os figurinos, os cenários e a representação de caricaturas de segmentos sociais importantes. Além disso, José Celso misturou várias linguagens e estilos, como a chanchada carnavalesca, a ópera, história em quadrinhos, programas de televisão, entre outras, para compor o seu mosaico crítico à vida nacional.

Na música popular, 1967 foi um ano paradoxal: a MPB atingia seu auge de popularidade nos anos 1960 ao mesmo tempo em que passava a ser questionada a partir das suas próprias fileiras. No Festival da TV Record, os participantes mais destacados buscavam diversos caminhos de renovação, tentando ampliar as fórmulas musicais consagradas pelo público televisivo e, ao mesmo tempo, tentando traduzir os novos impasses da sociedade brasileira, cada vez mais a reboque de um processo de modernização capitalista avassalador. Edu Lobo, com "Ponteio", reafirmava a tarefa do cantador em denunciar a realidade doa a quem doer tal como aparece neste trecho da letra:

> Era um dia, era claro, quase meio / Era um canto calado sem ponteio / Violência, viola, violeiro / Era morte em redor mundo inteiro / Era um dia, era claro, quase meio / tinha um que jurou me quebrar / Mas não lembro de dor nem receio / Só sabia das ondas do mar /Jogaram a viola no mundo / Mas fui lá no fundo buscar / Se eu tomo a viola, ponteio: / Meu canto eu não posso parar, não / Quem me dera agora eu tivesse a viola pra cantar.

Com esta canção, Edu Lobo receberia a consagração do público e da crítica.

Chico Buarque, com "Roda viva", iniciava sua ruptura com a imagem de bom moço, fazendo uma espécie de autocrítica da relação do artista com a indústria cultural que o cercava: "Tem dias que a gente se sente / como quem partiu ou morreu /a gente estancou de repente / ou foi o mundo então que cresceu / a gente quer ter voz ativa /no nosso destino mandar /mas eis que chega a roda viva /e carrega o destino prá lá..."

Geraldo Vandré e Sérgio Ricardo, dois ídolos da esquerda, foram solenemente vaiados pela plateia ao apresentarem músicas que se distanciavam das expectativas ideológicas de boa parte do público estudantil que então frequentava os teatros. Vandré tentou contar a história de um caminhoneiro e Ricardo, a de um jogador de futebol em fim de carreira, o "Beto bom de bola". Este compositor, inclusive, protagonizou uma das cenas mais incríveis da televisão brasileira. Ao ser impedido de cantar, por causa das vaias generalizadas, ele explodiu berrando: "Vocês venceram!...". Ao se retirar do palco, quebrou seu violão e o arremessou na plateia. Curiosamente, conforme a imprensa da época, parte do instrumento atingiu uma das poucas pessoas que o aplaudia.

Mas o grande impacto da MPB no ano de 1967 ficou por conta de Caetano Veloso e Gilberto Gil. Fundindo tradições do cancioneiro nordestino, Bossa Nova e música *pop*, os dois assombraram a plateia e a crítica, com "Domingo no parque" (Gil e os Mutantes, um grupo de *rock* de São Paulo) e "Alegria, alegria" (Veloso, com os Beat Boys, um grupo argentino que imitava os Beatles). Além das guitarras elétricas, instrumentos típicos do *rock* anglo-americano que pela primeira vez invadiam o templo sagrado da MPB nacionalista, as músicas traziam outras inovações, principalmente nas letras e na performance dos artistas. As letras, muito elogiadas pela sua qualidade poética, veiculavam imagens inovadoras sobre experiências urbanas, que rompiam com os temas do "morro" e do "sertão", típicas da MPB nacionalista. Na canção de Caetano, um jovem descompromissado flanava pelas ruas, "sem lenço, sem documento", aberto às experiências e informações do mundo moderno. Na música de Gil, três personagens populares se envolvem num crime passional, num parque de diversões de subúrbio. A solidariedade popular romantizada das canções de protesto era substituída pela cena urbana realista. O arranjo de Rogério Duprat, misturando instrumentos clássicos de orquestra a ruídos gravados na rua, selava a aliança entre o movimento Música Nova e o tropicalismo nascente.

Ali começava, simbolicamente, o inesquecível ano de 1968.

# O radical é *chic* (1968 no Brasil)

## O INTELECTUAL não encontra mais o povo

Em 1968, o artista plástico Hélio Oiticica previa uma nova fase para arte brasileira:

> A arte já não é mais instrumento de domínio intelectual, já não poderá mais ser usada como algo supremo, inatingível, prazer do burguês tomador de whisky e do intelectual especulativo. Só restará da arte passada o que puder ser apreendido como emoção direta, o que conseguir mover o indivíduo do seu condicionamento opressivo, dando-lhe uma nova dimensão que encontre uma resposta no seu comportamento.

Esse trecho ajuda a compreender o efeito do choque buscado pelo Tropicalismo. Este movimento, que explodiu no começo de 1968 e atingiu diversas áreas artísticas, pode ser considerado uma síntese do radicalismo cultural que tomou conta da sociedade brasileira, sobretudo sua juventude. Na verdade, os eventos fundadores do Tropicalismo são localizados em 1967, embora o movimento, como dissemos, tenha surgido em 1968, a partir de um "manifesto" despretensioso de Nelson Motta no jornal *Ultima Hora* do Rio de Janeiro, intitulado "Cruzada Tropicalista".

Na música – sua maior vitrine – os marcos foram as canções "Alegria, alegria" de Caetano Veloso e "Domingo no parque" de Gilberto Gil. No teatro, as ousadas experiências do Grupo Oficina, ou seja, as montagens de O rei da vela e de Roda viva. No cinema, a radicalização das teses do Cinema Novo, com o lançamento de Terra em transe, de Glauber Rocha. Uma vertente formativa muito importante, embora menos conhecida do grande público, foram as experiências das artes plásticas, principalmente as obras de Hélio Oiticica. Aliás, foi nas artes plásticas que a palavra tropicália ressurgiu nos anos 60. No geral, a tropicália pode ser vista como a resposta a uma crise das propostas de engajamento cultural, baseadas na cultura "nacional-popular" e que se via cada vez mais absorvida pela indústria cultural e isolada do contato direto com as massas, após o golpe militar de 1964.

Em 1969, Hélio Oiticica tentou definir a sua "obra-ambiência", chamada *Tropicália*, montada numa exposição no Museu de Arte Moderna no Rio de Janeiro em meados de 1967 e que pouco tempo depois inspiraria a composição homônima de Caetano Veloso. Vale a pena a longa citação:

> Tropicália é um tipo de labirinto fechado, sem caminhos alternativos para a saída. Quando você entra nele não há teto, nos espaços que o espectador circula há elementos táteis. Na medida em que você vai avançando, os sons que você ouve vindos de fora (vozes e todos os tipos de som) se revelam como tendo sua origem num receptor de televisão que está colocado ali perto. É extraordinária a percepção das imagens que se tem [...]. Eu criei um tipo de cena tropical, com plantas, areias, cascalhos. O problema da imagem é colocado aqui objetivamente – mas desde que é um problema universal, eu também propus este problema num contexto que é tipicamente nacional, tropical e brasileiro. Eu quis acentuar a nova linguagem com elementos brasileiros, numa tentativa extremamente ambiciosa em criar uma linguagem que poderia ser nossa, característica nossa, na qual poderíamos nos colocar contra uma imagética internacional.

Em fins de 1967, as imagens contidas na letra da canção "Tropicália" de Caetano Veloso recuperavam o espírito da obra-ambiência de Oiticica, elaborando uma espécie de "inventário" das imagens de "brasilidade", vigentes até então:

> O monumento não tem porta / a entrada é uma rua antiga estreita e torta / e no joelho uma criança sorridente feia e morta / estende a mão [...] no pátio interno há uma piscina / com água azul de amaralina /coqueiro

> brisa e fala nordestina e faróis [...] emite acordes dissonantes / pelos cinco mil alto-falantes / senhoras e senhores, ele põe os olhos grandes sobre mim [...]/ O monumento é bem moderno,/ não disse nada do modelo do meu terno / que tudo mais vá pro inferno meu bem.

Enquanto Oiticica esboça um roteiro para a sua obra-ambiência, Caetano transforma este roteiro no conjunto de imagens que representavam o Brasil, como nação, como se este fosse um imenso "monumento", fantasmagórico e fragmentado, na qual o "espectador" tem diante de si um desfile das "relíquias" nacionais, arcaicas e modernas ao mesmo tempo. No por acaso, a canção de Caetano começava citando a carta de Pero Vaz de Caminha, em tom de *blague*, tendo ao fundo o som de uma floresta tropical e de percussão indígena. Ao contrário das propostas da esquerda nacionalista, que atuava no sentido da superação histórica dos nossos "males de origem" (subdesenvolvimento, conservadorismo etc.) e dos elementos arcaicos da nação (como o subdesenvolvimento socioeconômico), o Tropicalismo nascia expondo e assumindo estes elementos, estas relíquias. Essa nova postura dos artistas por um lado se afastava da crença da superação histórica dos nossos arcaísmos (não só estéticos, mas sobretudo socioeconômicos) base da cultura de esquerda. Provocavam estranheza no ouvinte/espectador, ao brincar com todas as propostas para salvar o Brasil e colocá-lo na rota do desenvolvimento e da modernidade. O Brasil era visto como um alegre absurdo, sem saída, condenado a repetir os seus erros e males de origem. Por outro lado, ao justapor elementos diversos e fragmentados da cultura brasileira (nacionais e estrangeiros, modernos e arcaicos, eruditos e populares), o Tropicalismo retomava o princípio da antropofagia do poeta Oswald de Andrade, criada no final dos anos 1920, como forma de sintetizar e criar a partir destes contrastes. O artista, neste princípio, seria um antropófago e ao deglutir elementos estéticos, diferentes entre si, aumentaria sua força criativa.

Mas o Tropicalismo não deve ser confundido com um movimento coeso, no qual todos os artistas identificados como tropicalistas partilharam dos mesmos valores estéticos e políticos. Se a crítica às ilusões e projetos de uma cultura engajada, nacionalista, ligada à "esquerda ortodoxa", como passou a ser visto o PCB, era o ponto em comum entre Caetano, José Celso, Hélio Oiticica e Glauber Rocha, muitos outros elementos os separavam. O que se conhece atualmente por Tropicalismo oculta, na verdade, um conjunto de opções estéticas e ideológicas bastante heterogêneo.

## O TROPICALISMO nas diversas áreas de expressão artística

Como já dissemos, o batismo do novo termo coube às artes plásticas, diga-se, a Hélio Oiticica e à sua tentativa de estabelecer uma nova objetividade como corrente principal da vanguarda brasileira. Entre parangolés (obras que imitavam os adereços corporais das escolas de samba) e instalações, Oiticica encontrou na sua obra-ambiência *Tropicália* a síntese das experiências mais atualizadas da vanguarda com a tradição da arte popular brasileira. O Tropicalismo nas artes plásticas foi herdeiro de uma corrente de vanguarda, os neoconcretos de 1959, que procuravam apostar na emoção e numa certa desvalorização da arte, como procedimento de crítica da instituição-arte que a burguesia cultivava e como desmitificação do artista como arauto de um projeto intelectual e ideológico coerente que deveria educar o sentido das massas. Nem pedagogia conteudista (base da arte de esquerda nacionalista), nem a utopia da elevação do gosto médio do público (utopia presente nas vanguardas construtivistas, como o Concretismo). As novas propostas das artes plásticas acabaram inspirando a discussão dos dilemas das formas de arte de grande público (as "artes de espetáculo"), como o teatro e a música popular. Nessas áreas de expressão o choque do novo, diante de um publico que buscava lazer e catarse, teria mais efeito.

Já virou quase um lugar-comum destacar o impacto que a montagem de *O rei da vela* teve no público frequentador de teatro, sobretudo entre artistas e intelectuais. Escrita por Oswald de Andrade em 1937, dirigida por José Celso Martinez Correa, a peça foi montada pela primeira vez em 1967, estreando em São Paulo em outubro daquele ano. O próprio Caetano Veloso, que popularizaria o termo "tropicália", confessou seu grande impacto diante da peça. Alguns elementos que se tornaram mais tarde parte da esté-

Foto da capa do LP *Tropicália*, com os tropicalistas reunidos, como uma grande família. 1968.

tica tropicalista já estavam explicitados no programa-manifesto da peça *O rei da vela*. Ao assumir a estética do mau gosto como parte dos procedimentos de vanguarda, o programa diz que esta seria a "única forma de expressar o surrealismo brasileiro". Por isso, os tropicalistas gostavam tanto do famoso apresentador de programas de auditório Chacrinha que, para eles, sintetizava o gosto popular do povo brasileiro, sem idealismos ou ilusões.

Fugindo completamente dos padrões da crítica de esquerda de então, sem abrir mão do pensamento que se pressupõe revolucionário, José Celso e os signatários do programa-manifesto da peça denunciam a sociedade brasileira como teatralizada e a história como farsa, acusando o pensamento da elite intelectual burguesa de [...] "Mistificar um mundo onde a história não passa do prolongamento da história das grandes potências" (Grupo Oficina, setembro de 1967).

Para o Oficina, ao contrário da esquerda nacionalista-populista e dos ufanistas conservadores de direita, Oswald de Andrade representava a "consciência cruel e antifestiva da realidade nacional e dos difíceis caminhos para revolucioná-la". A peça estreou em outubro, mês em que acontecia o III Festival de Música Popular da TV Record, quando Caetano Veloso e Gilberto Gil concorriam com músicas consideradas inovadoras, ainda que o grau desta inovação não estivesse muito claro para o grande público.

Por outro lado, vale lembrar que o espetáculo *O rei da vela* foi dedicado a Glauber Rocha, diretor de *Terra em transe*, filme de maior impacto artístico de 1967 no cerne da intelectualidade brasileira. Lembramos que o filme contava, de maneira alegórica e fragmentada, a história de um intelectual de esquerda em crise, após um golpe de Estado num país imaginário, ate então governado pelos populistas com o apoio da esquerda (da qual esse personagem, chamado Paulo, era uma espécie de síntese). Apesar de Glauber não ter muita simpatia pelos que se diziam tropicalistas e de as questões colocadas pelo seu famoso filme não serem marcadas pelo deboche, e sim pela autocrítica dos projetos e crenças da esquerda nacionalista, a estética fragmentada e agressiva do filme era cultuada pelos adeptos do movimento tropicalista.

Caetano, José Celso e Glauber: fechava-se a trindade que mais tarde seria identificada como ícones máximos da ruptura tropicalista.

Essa identidade entre expressão teatral, cinematográfica e musical foi apontada na crítica de artes da imprensa, explodindo com toda a força no início de 1968, sob o nome de Tropicalismo. As polêmicas em torno da radicalização da proposta de agressividade do Grupo Oficina, assumidas na peça *Roda viva* (que estreou em janeiro de 1968) tornaram público o debate em torno das novidades surgidas, sobretudo na música e no teatro. Neste momento, as polêmicas começaram a apontar para a ideia de que aquilo tudo poderia traduzir um "movimento", com muitos pontos em comum.

A partir de março de 1968 o debate em torno do movimento, já com o nome de Tropicalismo, ganha as páginas da mídia cultural. O motivo: a peça *Roda viva*, que encenava de maneira alucinada a trajetória de Ben Silver, cantor cuja trajetória profissional passava por todos os movimentos da moda (Jovem Guarda, Canção de Protesto), e terminava, literalmente, devorado pelas próprias fãs. A peça do Grupo Oficina, a partir do texto de Chico Buarque de Hollanda, ao incorporar a agressão, o mau gosto, a linguagem alienada dos meios de comunicação de massa, buscando um efeito paródico, consagrava a ideia de um movimento de vanguarda dessacralizadora que criticava os valores políticos e comportamentais da classe média brasileira, à esquerda e à direita. Junto à "frente única sexual", proposta no segundo ato de *O rei da vela*, paródica e carnavalizante, Roda viva fazia somar o elemento da agressão, estética e comportamental, como procedimento básico da vanguarda.

Mas foi no campo musical que o movimento tropicalista ganhou seu maior público e fama. Após as famosas apresentações de "Alegria, alegria" e "Domingo no parque", no festival de 1967, o "grupo dos baianos", com o apoio de setores da vanguarda paulista (Música Nova, Concretismo), assume o "movimento". O sentido histórico do Tropicalismo, o campo musical, acabou por centralizar o debate sobre o movimento ao longo de muitos anos.

Se Caetano, Gil, Guilherme Araújo, Gal Costa, Tom Zé e Torquato Neto se recusaram a definir o movimento no momento de sua emergência, suas experiências poético-musicais e sua nova postura diante da tradição musical e do mercado fonográfico acabaram por potencializar a polêmica já deflagrada em outros campos da arte. O lançamento do LP *Tropicália ou Panis et Circensis*, em agosto de 1968, foi o grande acontecimento musical do movimento. O disco era uma colagem de sons, gêneros e ritmos populares, nacionais e internacionais. Em meio às composições assinadas por Gil, Caetano, Torquato Neto, Capinam e Tom Zé, com arranjos de Rogério Duprat, podem ser ouvidos diversos fragmentos sonoros e citações poéticas, num mosaico cultural saturado de críticas ideológicas: "Danúbio azul", Frank Sinatra, "A Internacional", "Quero que vá tudo pro inferno", Beatles, hinos religiosos, sons da cidade, sons da casa, carta de Pero Vaz de Caminha etc. Em outras palavras, as "relíquias" do Brasil surgiam uma após a outra, nas letras e sons, sem a mínima preocupação de coerência sistêmica por parte dos autores. Entre as composições de outros, destacam-se duas: "As três caravelas", versão ufanista de João de Barro para uma rumba cubana que, deslocada de seu contexto, soa como uma paródia ao nacionalismo. Outra canção, é "Coração materno", opereta patética e grotesca, que na voz de Caetano oscila entre a ironia e a nostalgia. O disco-manifesto *Tropicália ou Panis et Circensis* serviu como ponto de convergência para o "grupo baiano" e selou as afinidades do movimento com a vanguarda paulista, oriunda do grupo Musica Nova.

No festival da TV Record de 1968, a palavra "tropicalismo" já servia como um rótulo, possuindo sua torcida. Ficava clara uma tentativa da indústria cultural de transformar as experiências poético-musicais do "grupo baiano" em uma fórmula reconhecível, no limite de tornar-se mais que um estilo, um gênero de mercado.

No vácuo das polêmicas abertas por Caetano e Gil surgiam duas novas estrelas: Tom Zé e Gal Costa. O primeiro ganhou o festival da TV Record de 1968, com a marcha tropicalista "São Paulo, meu amor", uma ironia com o cotidiano da cidade grande. Gal Costa defendeu o iê-iê-iê "Divino e maravilhoso", de Caetano e Gil, um apelo à vida jovem, libertária e sem medos.

Apesar do grande impacto na mídia e nas artes, o Tropicalismo teve muitos críticos, inclusive entre os jovens artistas e intelectuais ligados á esquerda nacionalista. Sidney Miller (compositor), Augusto Boal (diretor de teatro), Francisco de Assis (critico musical), Roberto Schwarz (critico literário), entre outros, fizeram importantes análises críticas sobre o movimento, hoje quase esquecidas. Sidney Miller, em vários artigos, denunciou o caráter comercial do som universal, buscado pelo movimento, tentando mostrar que aquilo não passava de uma estratégia da indústria fonográfica em "internacionalizar" o gosto com base nos grandes mercados (Estados Unidos, Inglaterra). Augusto Boal, na forma de um manifesto escrito, dizia que o Tropicalismo apenas divertia a burguesia, em vez de chocá-la, perdendo-se no individualismo e no deboche vazio. Schwarz, num texto da época, fazia uma análise bastante aprofundada do teatro tropicalista de José Celso, dizendo que aquela estética da agressividade e do deboche traduzia na verdade a agonia política e existencial da pequena burguesia que se achava de esquerda, mas que no fundo era individualista e egoísta.

## REVOLUÇÃO, espetáculo e cultura

A crítica aos valores estéticos e ideológicos da esquerda nacionalista não ficou restrita ao movimento tropicalista. Em 1968, setores do meio artístico e intelectual da esquerda estudantil resolveram acirrar a crítica aos pressupostos culturais e políticos do PCB, que era contra a luta armada defendida pelos seus dissidentes. O principal ponto criticado era o efeito das artes ditas de esquerda, que eram acusadas de, no fundo, apenas mistificarem a espera pela revolução, transformando suas obras no elogio do imobilismo político. O "dia que virá", símbolo da libertação dos oprimidos, conforme expressão de Walnice Galvão, em famoso artigo publicado em 1968, era a imagem mais cultuada pela canção de protesto brasileira. Ela apontava um paradoxo: "enquanto o DIA não vinha restava cantar para esperar o DIA chegar". Terminava reclamando para a MPB um tipo de canção similar à Marselhesa, que fosse um hino à ação e não um elogio à vaga esperança.

Essa crítica cultural pode ser vista como um exemplo do debate político interno que se acirrava no seio da esquerda brasileira. A partir do racha do PCB, em 1967, crescia a opção de vários grupos saídos do "Partidão" (Ação Libertadora Nacional, Partido Comunista Revolucionário, Movimento Revolucionário 8 de Outubro, entre outros) pela luta armada contra o regime militar. Somados aos grupos de esquerda que já existiam (como o PCdoB, criado em 1962 e que já preparava a famosa Guerrilha do Araguaia), esses grupos iriam protagonizar os dramáticos episódios da guerrilha, que serviram de pretexto para o fechamento político do Regime Militar, a partir de dezembro de 1968, com o Ato Institucional nº 5.

Um pouco antes do AI-5, em outubro de 1968, o cantor e compositor Geraldo Vandré, como se fosse uma resposta às críticas à canção de protesto tradicional, cantava outra palavra de ordem: "vem vamos embora / que esperar não é saber / quem sabe faz a hora / não espera acontecer". A letra ainda criticava as estratégias pacifistas de luta contra o regime militar: "Pelos campos há fome em grandes plantações / pelas ruas marchando indecisos cordões / ainda fazem da flor seu mais forte refrão / e acreditam nas flores vencendo o canhão". Os versos que mais incomodaram os generais foram os que aludiam à vida opressiva nos quartéis: "há soldados armados / amados ou não / quase todos perdidos de armas na mão / nos quartéis lhes ensinam uma antiga lição / de morrer pela pátria e viver sem razão". Por meio destes versos diretos e contundentes, "Para não dizer que não falei das flores" (conhecida também como "Caminhando") se tomou uma espécie de hino revolucionário, cantado desde então, em diversos protestos de rua.

A música "Caminhando" seria a grande sensação do até então sonolento Festival Internacional da Canção, organizado pela Secretaria de Turismo da Guanabara (atual RJ) e pela Rede Globo de Televisão. Acabou classificada em 2° lugar, até por pressão dos militares que não admitiam sua vitória, perdendo para "Sabiá", de Tom Jobim e Chico Buarque. De qualquer forma, a canção acabou se consagrando, sobretudo pelos estudantes, protagonistas das grandes passeatas contra o regime militar.

E bom lembrar que no mesmo festival, Caetano Veloso proferiu seu famoso discurso-*happening*, durante a exibição da música "É proibido proibir". Ao ser ruidosamente vaiado pelos jovens universitários de esquerda, que o acusavam de *hippie* alienado, no Teatro da PUC-SP (o lendário TUCA), Caetano explodiu:

> Mas é isso que é a juventude que quer tomar o poder! [...] São a mesma juventude que vai, vai sempre, sempre, matar amanhã o velhote inimigo que morreu ontem! Vocês não estão entendendo nada, nada, nada, absolutamente nada! [...] Mas que juventude é essa [...] Vocês são iguais sabe a quem? Aqueles que foram ao Roda Viva e espancaram os atores! Vocês não diferem em nada deles [alusão à agressão sofrida pelo Oficina, pela extrema direita] [...] se vocês forem em política como são em estética, estamos fritos.

A plateia, de costas para o palco, continuava a vaiar, Os Mutantes, de costas para a plateia, continuavam a tocar. E Caetano a discursar e a cantar: "vem me dê um beijo, meu amor / os automóveis ardem em chamas / derrubar as prateleiras / as estantes / as vidraças / louças / livros, sim / eu digo não / eu digo é proibido proibir...". Definitivamente, não era esse tipo de revolução que a juventude engajada queria. Longe das barricadas do desejo parisienses, os estudantes brasileiros de esquerda estavam mais interessados em derrubar a ditadura do que as "prateleiras da sala de jantar".

Geraldo Vandré pede calma ao público para cantar *Caminhando*, no FIC de 1968.

Na finalíssima do FIC, com o Maracanãzinho lotado com trinta mil pessoas que cantaram "Caminhando" em coro, uma multidão continuou cantando a música enquanto ia embora para a casa. Talvez nunca mais tenha havido, na sociedade brasileira, uma síntese mais acabada entre arte, vida e política, como naquele momento. Antes de ser reflexo, a cultura era uma espécie de cimento que reforçava identidades e valores político-sociais que informavam aquela geração.

## A MASSIFICAÇÃO da televisão

O ano de 1968 pode ser considerado o momento em que a televisão, efetivamente, se tornou um veículo de massa, suplantando a importância do rádio como principal meio de comunicação de massa nas grandes cidades brasileiras.

Aquele ano marcou a crise definitiva de um dos maiores fenômenos de audiência de todos os tempos: o programa Jovem Guarda, após a saída do seu grande astro, Roberto Carlos, em janeiro de 1968. Na verdade, o fim do programa assinalou a decadência do próprio movimento, que já não repetia o sucesso de 1965 e 1966. A juventude brasileira havia mudado, a ingenuidade e a rebeldia adocicada que se limitavam a acelerar o carango, ter vários brotos e brigar na rua não davam mais pontos no Ibope. Os jovens queriam ir além e discutir comportamento, sexualidade, revolução. Ainda que limitados a uma atitude mais estética do que política, esses temas passaram a ocupar a agenda da cultura jovem em 1968. Além disso, o setor mais politizado da juventude estava em alta, ocupando as paginas da imprensa. Nunca os estudantes estiveram com tanto prestígio, mesmo entre alguns conservadores e, a partir de março de 1968, com a morte do jovem secundarista Edson Luís, pela polícia do Rio de Janeiro, os estudantes passaram a ser os novos heróis da sociedade brasileira, em sua luta pela democracia. Os festivais acabaram se tomando palco dos debates estéticos, políticos e culturais.

Se, desde 1966, o ciclo dos musicais (seriados ou os grandes festivais) havia demonstrado a amplitude do impacto social e cultural do veículo, ao longo de 1968, a fórmula televisiva dos festivais imperou sozinha como carro-chefe da audiência. Foram realizados vários festivais e quase todas as emissoras organizaram o seu: a TV Record dividiu suas competições musicais em duas: a Bienal do Samba (cuja primeira edição foi disputada em maio e a vencedora foi Elis Regina, com a música *Lapinha*) e o já clássico Festival da MPB, disputado entre novembro e dezembro. A TV Globo assumiu, definitivamente, o FIC, como o "seu" festival (embora ainda, oficialmente, fosse organizado pelo governo da Guanabara). A TV Excelsior, que havia abandonado a fórmula em 1966, voltou a realizar o seu, chamando-o de O Brasil Canta. A TV Tupi, que era mais voltada para a produção de telenovelas, rendeu-se à febre festivalesca e organizou o Festival Universitário da Canção, que revelou nomes como Gonzaguinha e Aldir Blanc. Além das grandes redes nacionais, várias cidades e estados brasileiros organizaram o seu próprio festival local.

Mas o ano em que mais se assistiu a festivais também marcou o início do declínio do gênero. A explicação era simples: o festival era um evento caro e, para garantir emoção ao telespectador, precisava ser ao vivo e não ter um controle de duração muito rígido. O imprevisto e uma razoável flexibilidade de duração era parte do sucesso, pois garantia a vivacidade do evento.

Essa característica específica do gênero festival era incompatível com a nova organização comercial e técnica da TV brasileira, que se disseminou a partir do final dos anos 1960. As emissoras passaram a organizar sua programação de acordo com grades rígidas de horário, para facilitar a venda do seu principal produto: o tempo. Parece estranho, mas a partir de 1968 a TV brasileira percebeu, definitivamente, que o seu principal produto não eram os programas em si, mas era o tempo vazio, dividido em minutos e segundos, cobrados dos anunciantes segundo a audiência absoluta e relativa. Absoluta, pois um programa com grande audiência era importante e valorizado; relativa, pois um programa com audiência menor, mas com uma audiência mais qualificada (ou seja, entre as faixas sociais mais ricas e formadoras de opinião), também era fundamental para a emissora, pois os produtos anunciados eram mais caros. Portanto, mais lucrativo do que vender um programa inteiro, como nos tempos do rádio (como o próprio Festival da Record que era "vendido" para a marca de sabão Super Viva) era vender os minutos dos intervalos de um programa para vários anunciantes. Essa lógica comercial se impôs a partir do final da década de 1960, e as emissoras que saíram na frente, nesse tipo de organização da programação, racionalizaram seus custos e aumentaram seus lucros. A Rede Globo destacou-se nesse processo. Com o apoio político e econômico do governo militar e com acordos comerciais com empresas multinacionais (como o grupo norte-americano *Time Life*), essa nova organização garantiu sua hegemonia na década de 1970.

O ano de 1968, na televisão, também conheceu a primeira telenovela considerada moderna da TV brasileira. Ao contrário dos grandes dramalhões passionais, ambientados em cenários exóticos ou distantes, com falas e gestos teatrais, maquiagem pesada e gravado em estúdios artificiais, a novela *Beto Rockfeller* (TV Tupi) introduziu outro tipo de teledramaturgia. A história tinha um viés mais sociológico, mostrando um homem pobre que queria subir na vida a qualquer custo, vivendo de pequenos golpes. Os diálogos eram mais coloquiais e bem humorados e o ambiente era natural e cotidiano. A novela foi um grande sucesso e demonstrou que era possível levar ao ar personagens tipicamente brasileiros, urbanos e sintonizados com os problemas e as características sociais do seu tempo. *Beto Rockfeller* marcou o início do império das telenovelas como o grande filão da audiência da televisão, base da grande penetração social da Rede Globo, nos anos 1970. Essa emissora também foi responsável pela renovação definitiva do gênero, como veremos adiante.

Mas a TV brasileira, em 1968, também era mais aberta a algumas loucuras. O telespectador que, ao ligar seu aparelho, topasse com Caetano Veloso "plantando bananeira" de pernas para o ar ou visse todos os músicos dentro de uma jaula, encenando um "banquete de *hippies*", não deveria estranhar. Eram os "divinos e maravilhosos", programa dos tropicalistas, tentando revolucionar a cultura de massa a partir do seu interior. Por volta de dezembro de 1968, quando o programa estava com os seus dias contados, Caetano ainda protagonizou mais uma cena, impensável nos atuais padrões da TV brasileira: no dia 23 de dezembro ele cantou "Boas festas", de Assis Valente, com um revolver engatilhado, apontado para sua própria cabeça. Mas aquela agressividade simbólica contra os valores burgueses, síntese de um tempo de radicalismo, iria ser substituída pela violência real do Estado contra a sociedade civil e seus indivíduos mais críticos e criativos.

Dez dias antes, na noite de 13 de dezembro de 1968, a voz grave e pausada do ministro da Justiça Gama e Silva anunciou, em cadeia de rádio e TV, o AI-5. A partir daí, o governo militar assumia, virtualmente, o controle da sociedade brasileira. Naquele dia, o telespectador mais atento com certeza ficou bastante perplexo.

## O TERCEIRO MUNDO vai explodir

O AI-5 foi uma espécie de corte abrupto de uma grande festa revolucionária, que estava em pleno auge. Por isso, 1968 foi batizado de "o ano que não acabou" pelo jornalista Zuenir Ventura. Mas, apesar das tentativas da ala mais radical do regime militar, a sociedade brasileira não acabou nem parou de criticar o regime. Não podemos ser ingênuos ou mentirosos. Muitos "cidadãos de bem", alguns desinformados outros conscientemente, apoiavam o regime militar. Sobretudo porque, em 1968, o governo deu início

Odete Lara conta tudo sôbre Cannes

O PASQUIM

Ibrahim: sou imortal sem fardão

PASQUIM

Dominguez e Duval julgam Armando Marques

revela a verdade:

MEU NOME É HERMANN, MAS PODE ME CHAMAR DE LAURA!

O PASQUIM

LEILA DINIZ: &$£7!

Capas do *Pasquim*, que marcou a cultura jovem brasileira no início dos anos 70.

a uma política econômica de crescimento, estimulando o consumo da classe média, por meio dos créditos a juros baixos. Era o início do "milagre brasileiro", como ficou conhecida essa fase da nossa economia, na verdade uma grande festa de consumo patrocinada por uma política de juros baixos e endividamento financeiro, que duraria até meados da década de 1970.

A cultura brasileira, nos anos seguintes, viveria uma situação paradoxal. Os setores culturais críticos e de esquerda passaram a ser duramente reprimidos. A partir de meados de 1969, instaurou-se uma censura ferrenha às artes e ao jornalismo, como veremos no capítulo seguinte. Artistas que até então eram verdadeiros ídolos, como Geraldo Vandré, Chico Buarque de Hollanda, Caetano Veloso, foram duramente perseguidos pelos militares. Este último, juntamente com Gilberto Gil, foi preso, permanecendo na prisão por três meses. Em julho de 1969 os dois baianos foram "convidados" a deixar o país, exilando-se em Londres durante três anos. Chico Buarque, vivendo uma fase de grande popularidade, foi poupado da prisão, mas também foi levado a deixar o país em 1969, indo para a Itália. Quanto ao destino de Vandré, os primeiros boatos diziam que ele havia sido preso, torturado e sofrera lavagem cerebral, passando a fazer músicas de apoio à ditadura. Em entrevista recente (1995) o próprio Vandré desmentiu tal versão, contando a verdade: a partir da decretação do AI-5, ele ficou foragido e conseguiu sair do país, dando início a um verdadeiro périplo por vários países do mundo, fixando-se em Paris ate meados da década de 70, quando voltou para o Brasil. Depois de uma breve detenção, Vandré declarou morto o seu personagem, tornando-se apenas um discreto advogado, ocupando um modesto escritório no centro de São Paulo. Elis Regina tentava uma carreira internacional, enquanto os nomes que surgiam – Ivan Lins, Gonzaguinha, Taiguara, procuravam, sem o mesmo sucesso, manter viva a "música de protesto", ainda que por meio de letras mais veladas.

A cultura jovem do Brasil passou a ter um novo porta-voz: o jornal *O Pasquim*, fundado em 1969, que revolucionou a imprensa alternativa e, muitas vezes, furou o bloqueio da censura e o controle do regime. Algumas matérias são antológicas: a entrevista com Leila Diniz em 1970 (mulher símbolo da liberação feminina), o artigo de Gil, escrito no seu exílio londrino, entre outros. Já a seção *underground* de Luiz Carlos Maciel introduzia, de uma vez por todas, o tema da revolução comportamental e cultural para a juventude brasileira, sendo um elo de atualização com os centros geradores dessas tendências, pois veiculava as novidades da contracultura europeia e norte-americana, críticas ao sistema.

Mas nem só de crítica vivia a cultura brasileira. Os novos tempos de repressão e censura, aliados a certa facilidade de produção e consumo, estimularam o crescimento de um mercado cultural marcado pela difusão de produtos de entretenimento fácil, sobretudo na música popular e na televisão. Foi a era do sambão joia, do pastiche de música pop e de uma tentativa de reedição de uma música ufanista, que falasse do "Brasil Grande". Uma das músicas de maior sucesso na época (1970) foi "Eu te amo, meu Brasil", cantada por Os Incríveis, um conjunto que fez parte da Jovem Guarda. O Festival da TV Record de 1969 e o Festival Internacional da Canção foram exemplos do esvaziamento forçado do debate musical brasileiro. Apesar disso, "Andança" e "Luciana", apresentadas no FIC, tornaram-se peças consagradas no repertório popular brasileiro.

Para o observador mais atento, havia muita coisa além da "paz de cemitério" imposta pelo AI-5. A guerrilha organizada clandestinamente, como nunca mais conseguira fazer, realizou em 1969 muitas ações ousadas. No fundo da calmaria, as águas estavam bem agitadas. Mas, para a cultura, que precisava de espaço e liberdades civis para se expressar, o ano de 1969 parecia perdido. O momento, diriam os otimistas, era de ação. Alguns artistas, como o artista plástico Cildo Meirelles, desenvolveram uma espécie de "guerrilha cultural", um conjunto de pequenas ações e intervenções no espaço público, clandestinas e anônimas. Em 1970, esse artista inicia suas participações nos "circuitos ideológicos do sistema". Por exemplo, Meirelles, por meio da técnica de decalque e *silk-screen*, gravava mensagens e opiniões críticas em garrafas vazias de Coca-Cola e cédulas, recolocando estes objetos em circulação na sociedade. Pequenas ações como estas mantinham o ethos da oposição ao regime em movimento e estabeleciam uma verdadeira rede de recados sutil, mas significativa.

Mesmo sem a retumbância de 1968, ainda ecoavam, como avisos do apocalipse, as palavras que abriam o filme *O Bandido da Luz Vermelha*, grande sucesso daquele ano: "o terceiro mundo vai explodir, e quem tiver sapato não vai sobrar". Mas a revolução armada da esquerda estava com os seus dias contados, pois o grau de violência do regime ultrapassaria os limites do imaginável. Aos jovens engajados restavam duas tristes opções: silenciar-se e recolher-se nos pequenos espaços da resistência cotidiana ou se arriscar a morrer, não gloriosamente, nas barricadas, mas anonimamente, nos porões da tortura.

Findo o sonho revolucionário do final dos anos 1960, restaria ao segmento mais crítico da cultura brasileira construir o árduo caminho da resistência democrática. Esse seria o grande desafio cultural e político dos anos 1970.

# Desbunde, diversão e resistência: a cultura nos "anos de chumbo" (1970-1975)

## UFANISMO E CONSUMO, desbunde e clandestinidade

No início dos anos 1970, a cultura brasileira vivia um momento difícil. Ao menos quatro tendências básicas configuravam uma cena cultural complexa e paradoxal, após o silêncio imposto ao rico debate político e cultural de 1968, pelo AI-5; o exílio e a censura impingidos aos principais artistas e intelectuais; o crescimento notável dos meios de comunicação de massa; a propaganda ufanista do regime militar; e a busca de novos espaços e estilos de expressão cultural e comportamental.

Por volta de 1970, nomes ligados a várias áreas de expressão cultural, política e artística encontravam-se fora do país: músicos populares – Chico Buarque, Caetano Veloso, Gilberto Gil, Geraldo Vandré –, cineastas – Glauber Rocha –, diretores de teatro – Augusto Boal –, pesquisadores e educadores – Paulo Freire, Darcy Ribeiro. Mesmo aqueles que haviam sido poupados das primeiras "caças às bruxas" realizadas pelo regime militar não resistiram ao segundo ciclo de perseguição.

A partir de agosto de 1969 o país mergulhou em outra crise política com a doença do general Costa e Silva, cujo vice-presidente – Pedro Aleixo, um civil – fora impedido de tomar posse, sendo substituído por uma junta militar. Somente no final de outubro, o Congresso Nacional,depois de quase um ano fechado, "elegeu" o novo presidente: o general Emílio Garrastazu Médici.

O regime militar entrava na sua fase mais violenta. A prioridade era "ganhar" o apoio da classe média, por meio da política de estímulo ao consumo, e destruir – fisicamente, se possível – os opositores. A propaganda política (a criação da Assessoria Especial de Relações Públicas concentrou as iniciativas nesta área), o crescimento econômico e a combinação de repressão policial e censura seriam as maiores marcas do novo governo.

A conquista do tricampeonato de futebol, na Copa do Mundo, realizada no México em 1970, foi perfeita para a propaganda do governo. "Pra frente Brasil", "Eu te amo meu Brasil", "Brasil, ame-o ou deixe-o", eram os *slogans* oficiais.

Paralelamente, os meios de comunicação e a indústria da cultura como um todo conheciam uma época de expansão sem precedentes. Com o crescimento econômico, os bens culturais passaram a ser consumidos em escala industrial: telenovelas, noticiários, coleções de livros e fascículos sobre temas diversos, revistas (como a Revista *Veja*, surgida em 1969) demonstravam a nova tendência industrial e "massiva" do consumo cultural, que se consolidaria de vez na segunda metade da década de 1970. Dessa maneira, via bancas de jornal e televisão, a cultura escrita chegava aos segmentos mais pobres da população – sobretudo operários qualificados, pequenos funcionários públicos e classe média baixa, como um todo. A única área que não colheu o benefício imediato deste processo de expansão da indústria da cultura foi a imprensa diária. Muitos jornais, dada a censura prévia instaurada, não conseguiam fechar suas edições a tempo de chegar às bancas no dia seguinte. Além do cerceamento da liberdade de expressão em si, a censura a jornais diários (em revistas semanais também houve, mas o efeito comercial era menor) tornou-se um problema comercial: a "mercadoria" notícia não conseguia ser finalizada a tempo, prejudicando a "linha de produção" dos jornais.

Porém, paralelamente ao exílio, à censura e à expansão da cultura industrializada, os segmentos mais críticos ao regime tentavam inventar novos espaços e estilos de contestação e expressão de valores e opiniões. Já no final dos anos 1960, formou-se no Brasil uma rede "alternativa" de consumo de cultura, mais ligada a uma lógica artesanal de produção, desligada das grandes empresas que

Raul Seixas, um dos maiores ídolos do *rock* brasileiro dos anos 1970.

passavam a dominar o mercado. A imprensa alternativa, o teatro e o cinema "marginais" conheceram uma grande expansão, apesar da vigilância política e policial e das limitações financeiras. Em grande parte, esses produtos culturais realizavam-se dentro de um circuito universitário, no qual os estudantes (e jovens como um todo) consolidavam a tendência que vinha dos anos 1960: constituir um significativo mercado cultural. É bom lembrar que, ao longo dos anos 1970, a população universitária cresceria mais de dez vezes e, na sua maioria, era constituída por jovens egressos de famílias de classe média, com um poder aquisitivo significativo.

Para o jovem com mentalidade crítica que vivia no início dos anos 1970 restavam três opções: a resistência democrática em pequenas ações no seu cotidiano; a clandestinidade da guerrilha ou o chamado desbunde e a busca de uma vida "fora" da sociedade estabelecida. A cultura e as artes direcionadas à juventude refletiam e configuravam as três opções. Havia também uma cultura mais voltada para o "lazer" da juventude que não pode ser desconsiderada, e que na época era tida como alienada pelos jovens mais críticos. O que importa é destacar que os segmentos da juventude (entre 16 e 26 anos, em média) eram o principal público consumidor da cultura, ao menos nas áreas de música, cinema e teatro.

Enquanto o circuito universitário de cultura garantia aos artistas que ficaram no país uma alternativa de trabalho, as comunidades *hippies* protagonizavam uma nova forma, não comercial, de viver a cultura, baseada na prática do artesanato, na diluição das fronteiras entre vida e arte e na busca de novos valores morais e de um novo comportamento sexual, com base no chamado "sexo livre". Para o segundo grupo, o uso das drogas – sobretudo a maconha e as drogas alucinógenas, como o LSD – fazia parte da utopia de uma libertação individual e interior, ajudando a "expandir a mente", muitas vezes levando os jovens à dependência e, em alguns casos, à morte.

Para os jovens politicamente engajados, na clandestinidade ou não, o problema era outro: não se tratava de buscar a libertação individual, mas a libertação coletiva, a resolução dos problemas políticos e sociais do país. Expandir a mente era informar-se, intelectualizar-se, encarar a dura realidade do país.

Mas para a grande maioria dos jovens brasileiros de classe média, e mesmo alguns das classes populares, o início dos anos 1970, representou a abertura de um grande mercado de trabalho, com novas possibilidades de consumo (por exemplo, a compra do automóvel, uma marca da juventude alienada). Longe de alternativas radicais de recusa ao sistema, politizada ou desbundada, o jovem brasileiro "médio" queria apenas comprar o seu Corcel 73 e tentar aproveitar o milagre, conforme a crítica de Raul Seixas: "Eu devia estar contente porque eu tenho um emprego /Sou o dito cidadão respeitado / Ganho 4 mil cruzeiros por mês / Eu devia estar contente porque eu consegui comprar um Corcel 73..."

Enquanto isso, alguns jovens se entregavam a uma outra aventura radical: a guerrilha. Depois de um conjunto de ações ousadas ao longo de 1969, como o sequestro do embaixador norte-americano no Rio de Janeiro, por volta de 1971 a maior parte das organizações (e eram muitas) estavam quase destruídas. Centenas de militantes estavam mortos, "desaparecidos" (o rótulo oficial dos mortos sob tortura) ou presos. Com a morte de Carlos Lamarca, no interior da Bahia, caía o segundo grande líder da luta armada, pois o primeiro, Carlos Marighella, morrera em 1969. O único grupo que ainda tinha fôlego era o PCdoB. No longínquo Araguaia, no sul do Pará, esse partido organizou um grande foco guerrilheiro. Apesar de contar com apenas sessenta guerrilheiros, o Exército Brasileiro demorou mais de quatro anos para derrotá-lo, mobilizando para tal missão mais de dez mil homens.

## A MPB ENTRE 1969 e 1974

A música popular brasileira entrava nos anos 1970 sem os seus maiores compositores; quase todos "viviam" fora do país. Ao mesmo tempo, a grande tendência do mercado, com a crise dos festivais da canção e cerceada pela censura, era a música jovem, o *pop* e o *rock*, que garantiam um espaço maior na preferência de uma boa parte da juventude. (A partir do Tropicalismo, diga-se, o *pop* e o rock passaram a fazer parte, inclusive, das várias vertentes musicais que caracterizavam a música brasileira.)

Por outro lado, naquela época, nem toda canção feita no Brasil, em português, era considerada MPB. A sigla se tornava quase um conceito estético e, sobretudo, político, traduzindo uma música engajada, com letra sofisticada, de bom nível e, de preferência, inspirada nos gêneros mais populares, como o samba. O período que vai de 1969 a 1974 não foi dos melhores para a MPB, mais em razão dos problemas políticos do que por uma crise de criatividade ou de mercado. O cerco da censura e o clima de repressão policial dificultavam a criação, a gravação das músicas e a performance para grandes plateias, sobretudo as plateias estudantis. Ainda assim, um considerável circuito de *shows* em *campi* universitários levava inúmeros artistas ao contato com o público mais aficionado da MPB. Alguns deles já eram consagrados, como Elis Regina, outros, nem tanto, como Taiguara, Gonzaguinha, Ivan Lins (membros do chamado MAU – Movimento Artístico

Universitário, que tentava renovar o time de compositores dentro do campo da MPB sofisticada).

Mas a música brasileira não era só a MPB universitária, como se dizia. Para suprir um mercado em crescimento, as gravadoras apostaram na música jovem internacional, sobretudo a *black music* americana, então em voga, e nas músicas compostas em inglês por brasileiros. Outro fenômeno de vendas foram as trilhas sonoras de novelas, sobretudo as da Rede Globo, que criou até uma gravadora, a Som Livre, para comercializar esse tipo de coletânea. Foi também a época do chamado sambão joia – feito por nomes como Os Originais do Samba, Luiz Airão, Benito di Paula, entre outros –, uma música considerada pasteurizada e comercial, mas que tinha uma grande aceitação de público. Entre 1970 e 1974, o território do samba ainda consagraria nomes como Martinho da Vila, Paulinho da Viola e Clara Nunes, intérprete muito popular na época. Roberto Carlos, numa vertente mais romântica, entre 1969 e 1972, passava pela sua fase mais criativa. Nessa época, o "rei" gravou algumas canções clássicas do seu repertório: "Sua estupidez", "As curvas da estrada de Santos", "Detalhes", entre outras.

Com o retorno ao Brasil de artistas mais expressivos da MPB, como Chico Buarque, em 1971, e Caetano Veloso, em 1972, o cenário musical se animou. Chico gravou um álbum histórico, considerado um marco de qualidade poética na canção popular brasileira, chamado *Construção*. Por exemplo, na canção que dava nome ao LP utilizava-se de um exercício poético bastante refinado para apresentar o cotidiano de um operário numa construção, culminando com sua queda e morte, metáfora da opressão social e existencial que se abatia sobre as classes populares no Brasil. O LP teve grande aceitação de público e crítica e recolocava Chico no primeiro plano da mídia e da cultura brasileiras. Caetano, depois de lançar a bela e melancólica "London, London" (cujas canções retratavam, em inglês, seu estado de espírito no exílio londrino), gravou *Transa* e o álbum experimental *Araçá azul*, cheios de ruídos, arranjos e entonações inusitadas. Este, aliás, foi o maior encalhe da indústria fonográfica brasileira. Mas o exílio de Caetano o havia resgatado para a juventude universitária engajada, depois dos embates entre estas e o compositor baiano, ao longo de 1968.

Em 1972, os dois astros, Chico e Caetano, que até então representavam as duas grandes tendências estéticas e políticas da MPB, gravaram um álbum ao vivo, num histórico show em Salvador, com o título *Caetano e Chico, juntos e ao vivo*. O *show* foi um verdadeiro ato de resistência contra a ditadura e a sua censura, sofrendo inúmeros atos de sabotagem técnica, como o desligamento de microfones durante a apresentação das canções. Esse encontro, altamente simbólico, de dois grandes astros que dividiam as plateias dos anos 1960 foi complementado, em 1974, por outro encontro artístico, entre Elis Regina e Tom Jobim, que também não haviam sido lá muito amigos em meados dos anos 1960.

Em 1972, explodia outro fenômeno musical, já conhecido como compositor havia algum tempo: Milton Nascimento que trouxe junto todo o Clube da Esquina – um conjunto de compositores, instrumentistas e intérpretes de Minas Gerais, que fundiam gêneros e estilos locais com o *rock*. O álbum *Clube da Esquina 1*, de Milton Nascimento e Lô Borges, era uma verdadeira coleção de clássicos da canção, que apresentavam uma visão mais sutil, porém não menos crítica, do momento social e político. O "Trem azul", "San Vicente", "Nada será como antes", "Paisagem na janela", entre outras, retratavam a busca por liberdade individual e coletiva, por meio de imagens poéticas sutis e músicas sofisticadas, fora das fórmulas conhecidas até então.

Outra das grandes tendências musicais dos anos 1970 foi o sucesso dos cearenses: Fagner, Ednardo, Belchior. Na verdade, eles explodirão apenas a partir de 1975, mas a estreia de Fagner, que puxou a fila, foi em 1973. Nesta tendência, o *pop* também era o tempero que dava sabor às influências locais nordestinas e nacionais, como a MPB, que informavam o grupo.

A grande novidade musical de 1973, porém, foi a renovação do *rock* brasileiro, que parecia encontrar uma linguagem própria. Nesse campo, destacou-se Raul Seixas, com sua crítica ácida ao milagre e aos valores sociais: "Ouro de tolo", "Sociedade alternativa", "Mosca na sopa", "Metrô linha 743". "Ouro de tolo" pode ser considerada a síntese do trabalho de Raul desse período, expressando a autocrítica de um jovem bem-sucedido, financeiramente, dono de um Corcel 73 – um dos carros mais cobiçados na época –, mas entediado e insatisfeito com os padrões comportamentais e os limites existenciais da vida numa sociedade de consumo marcada pelo autoritarismo. Em outras canções, Raul procurava passar a imagem de "maluco" utilizando metáforas aparentemente sem nexo para criticar a falta de liberdade e as normas comportamentais aceitas.

Houve ainda o meteórico conjunto Secos e Molhados, que revelou o cantor Ney Matogrosso, fundindo o melhor da poesia da MPB com a ousadia cênica e o clima instrumental do *rock* anglo-americano.

Rita Lee, ex-Mutantes, iniciava uma trajetória própria e original, com letras criativas e críticas, cujo tema era a vida do jovem urbano de classe média, tentando fugir dos padrões comportamentais vigentes e buscando espaços de expressão e liberdade, como na música "Ovelha negra", grande sucesso de 1975.

Uma das experiências mais originais da música jovem brasileira de qualidade, no início dos anos 1970, foi o conjunto Novos Baianos, que ao mesmo tempo era uma comunidade *hippie*. Baby Consuelo, Pepeu Gomes, Moraes Moreira e Paulinho Boca de Cantor mesclavam samba, chorinho, frevo e rock, criando um estilo musical próprio e bem aceito pelo público de *rock* e MPB. Todos eles, mais tarde, seguiram carreira solo.

Se o período que vai de 1969 a 1972 pode ser considerado um período de ajustes entre a produção musical e um contexto cultural e político muito difícil, a partir de 1972 a música brasileira retoma uma certa ofensiva cultural e política contra o regime e galvaniza as massas em grandes eventos e espetáculos ao vivo. Mas os tempos continuavam difíceis para quem se propunha a fazer uma arte que fosse algo mais do que lazer. Além do já citado *Caetano* e *Chico*, destacamos o *Phono 73*, uma tentativa da gravadora Phonogram/Philips de retomar o clima dos festivais, organizando três noites de música ao vivo, com todo o seu elenco de estrelas da MPB e do *rock* brasileiro. Num desses shows, ocorreu o famoso episódio do desligamento do sistema de som, por ordens da censura, quando Chico e Gilberto Gil iriam cantar "Cálice", um manifesto contra a censura e a repressão. As palavras "cálice" e "cale-se" se fundiam, numa alusão direta à censura, e o "vinho tinto de sangue" remetia aos porões da tortura. Obviamente, a censura não gostou: "Pai, afasta de mim esse cálice/ pai, afasta de mim esse cálice/ pai, afasta de mim esse cálice! De vinho tinto de sangue..."

Em 1972, a Rede Globo resolveu valorizar o seu criticado e esvaziado Festival Internacional da Canção (FIC). Contratou Solano Ribeiro, produtor dos grandes festivais da Record, deu certa liberdade à comissão de seleção das músicas e colocou para presidir o júri a prestigiada (e oposicionista à ditadura) cantora Nara Leão. O cenário para mais um conflito com o regime estava armado e explodiu no manifesto do júri contra a censura. Alegando um problema na condução dos trabalhos, mas na verdade pressionada pelo governo, a Rede Globo destituiu a presidência do júri e quando dois jurados, Roberto Freire e Rogério Duprat, tentaram subir ao palco para ler um manifesto contra a censura, foram presos e agredidos pelo DOPS – a polícia política do regime. A canção vencedora foi "Fio Maravilha", composta pelo então Jorge Ben e interpretada por Maria Alcina. A letra fala de um ídolo do futebol; e o ritmo dançante empolgava a plateia, deixando em segundo plano, para o grande o público, os incidentes e as pressões políticas que marcaram o último festival da canção da "era dos festivais".

Nesse FIC e na outra tentativa da Rede Globo de reeditar o gênero (Festival "Abertura", 1974), se consolidou outra tendência da MPB dos anos 1970: os chamados "malditos". Famosos por praticar certas ousadias musicais, *happenings* e posturas provocativas em relação ao gosto do público, nomes como Jorge Mautner, Jards Macalé, Luís Melodia, Walter Franco, entre outros, desafiavam as fórmulas do mercado fonográfico com suas linguagens e performances. O nome "malditos" consagrou-se como uma espécie de estigma que perseguia tais artistas: eram respeitados pela crítica e pelos músicos, mas não se enquadravam nas leis de mercado das gravadoras, nem se submetiam às suas demandas comerciais, vendendo muito pouco e sendo quase esquecidos pelas emissoras de rádio mais populares.

De forma geral, podemos considerar o período que vai de 1972 a 1974 um período de rearticulação criativa e político-cultural da MPB. Várias tendências foram esboçadas, vários nomes surgiram, os monstros sagrados voltaram à cena, e alguns álbuns clássicos foram relançados, apesar do cerco do regime (que, aliás, não poupou seus censores e policiais de trabalho para perseguir os músicos). Além disso, os compositores da velha guarda (Cartola,

Lupicínio Rodrigues, Adoniran Barbosa) gravaram seus primeiros discos, tornando-se definitivamente conhecidos pelo público mais jovem. Esse processo preparou o grande fenômeno de popularidade (e qualidade) da música brasileira a partir da segunda metade dos anos 1970, quando a censura estava mais branda, e a MPB, em seus mais diversos gêneros e estilos, foi uma espécie de "trilha sonora" da fase de abertura política.

## A TELEVISÃO no início dos anos 1970: ficção e realidade

Os anos 1970 podem ser considerados a "era de ouro" da televisão brasileira. Foi naquela década que a televisão, como sistema de comunicação, e algumas emissoras em particular (como a Rede Globo) construíram seu poderio e estabeleceram seu lugar definitivo na sociedade e na cultura brasileira. Obviamente, a televisão era considerada pelos setores mais intelectualizados e engajados um grande instrumento de manipulação da opinião pública e de alienação das massas trabalhadoras, que tomavam contato com um mundo artificial e glamouroso, ao qual não tinha acesso real. Enquanto isso, a realidade – política, social e econômica – era mascarada.

A aliança econômica da Rede Globo com o grupo norte-americano Time Life e as relações políticas do seu dono, o famoso Roberto Marinho, com os políticos da ditadura só reforçavam ainda mais essa visão. O "padrão globo de qualidade", tão decantado pela própria emissora, era, para os críticos de esquerda, a antítese da realidade brasileira, miserável e subdesenvolvida, mascarando um mundo cheio de contradições ao criar um produto cultural belo e asséptico.

Na prática, as coisas eram mais complicadas do que na visão muito generalizadora dos críticos. A TV nos anos 1970, esteve sempre do lado do poder, institucionalmente falando, mas muitos dos seus programas, realizados por profissionais sérios e nem sempre comprometidos com a ditadura, tentavam criar uma atmosfera de reflexão nos telespectadores. É claro que havia restrições nessa proposição. Não só pela vigilância dos censores (do Estado e das emissoras), mas também pelos limites desse meio de comunicação, muito mais direcionado ao lazer e à audiência superficial e dispersa do que ao estímulo à reflexão dos espectadores.

Ao lado do telejornalismo – um dos gêneros mais estratégicos para a formação de uma opinião pública conformista –, a teledramaturgia foi a grande novidade, em termos de linguagem e fenômeno de audiência nos anos 1970. Os programas de auditório não tinham mais o mesmo prestígio que os dos anos 1950 e 1960, embora os campeões de audiência (Sílvio Santos, Hebe Camargo, Chacrinha, Clube dos Artistas) seguissem firmes e fortes na preferência popular. Os seriados norte-americanos continuaram com boa audiência, ocupando o horário nobre, e alguns marcaram época nos anos 1970. Por exemplo, em 1973, o Brasil parava para ver *Kung Fu*, de cunho pacifista, uma espécie de autocrítica norte-americana em relação aos asiáticos, depois do fiasco do Vietnã. No seriado, um chinês com ares de filósofo derrotava, na palavra e no braço, os vaqueiros machões do velho oeste. Os policiais *Kojak*, *Columbo* e a ficção *Cyborg* também tinham grande audiência no horário nobre. Mas em meio aos temores de que os "enlatados" (como eram chamados pela crítica os filmes seriados norte-americanos) fossem destruir a produção nacional, a TV brasileira consolidou sua vocação para a teledramaturgia, gênero para o qual a Rede Globo contribuiu para a renovação, tornando-se, inclusive, um dos principais produtos de exportação da indústria cultural brasileira.

O mais curioso é que boa parte dos dramaturgos ligados ao Partido Comunista Brasileiro (PCB), como Dias Gomes, Oduvaldo Vianna Filho e Paulo Pontes, contribuiu para a revolução das novelas na telinha. Após 1970, esses e outros nomes foram contratados pela Rede Globo, com razoável liberdade de criação, para diversificar o estilo, a temática, a linguagem das telenovelas, aprofundando a tendência realista e sociológica já anunciada por *Beto Rockfeller*, em 1968. Assim, enquanto Janete Clair se consagrava nos dramas das oito (*Irmãos Coragem*, de 1970 e *Selva de Pedra*, de 1972, dois de seus grandes sucessos), Dias Gomes desenvolvia temáticas mais trabalhadas e até críticas, no horário das dez horas, com o *O bem amado*, *Bandeira 2* e *Saramandaia*, esta última muito próxima do realismo fantástico da literatura latino-americana. Nessas novelas, eram retratados tipos populares e problemas sociais vividos pela sociedade brasileira de uma forma mais realista ou irônica; tal abordagem não era muito comum na teledramaturgia. Temas como corrupção, violência social, competição, conflitos sociais, por exemplo, estavam sempre presentes nessas novelas.

Não podemos esquecer duas experiências ousadas na teledramaturgia dos anos 1970, levadas ao ar em formato diferente do das novelas diárias. Os "casos especiais" (episódios únicos, com duração de uma hora) e o seriado semanal *A grande família* (uma família de classe média cheia de dificuldades em pleno ufanismo do milagre econômico), escritos e dirigidos pelos grandes dramaturgos Oduvaldo Vianna Filho e Paulo Pontes.

Por outro lado, o sucesso estrondoso de *Escrava Isaura*, em 1976, consolidou o horário das seis horas, como a faixa das novelas de época, mais ligadas à tradição do folhetim histórico. Em meados dos anos 1970, a grade de programação do horário nobre, entre 18 e 22 horas, tinha nada menos do que quatro novelas diárias.

Depois da "novela das sete", sempre apresentando um tratamento dramático mais leve e cômico, era transmitido o *Jornal Nacional*. O JN foi criado em 1969, com os indefectíveis apresentadores Sérgio Chapelin e Cid Moreira e, nos anos 1970, era mais oficial do que a própria "Voz do Brasil". A lógica jornalística do JN era bem simples: no bloco internacional abundavam os atos do terrorismo, guerras, tragédias naturais e desastres. Na parte nacional, eram veiculados os atos do governo, as grandes obras, alguma crônica social e fatos diversos (saúde, educação, natureza, curiosidades da vida privada...). Jamais o JN mostrava uma notícia de conflito ou dava voz a alguma dissidência política. A partir de 1974, a Rede Globo criou mais um programa de sucesso: a "revista" de variedades semanal intitulada *Fantástico, o show da vida*. Além dessa programação à base de novelas e telejornais, os programas de humor tiveram grande destaque, sobretudo a partir de 1975. Nesse gênero, os maiores sucessos dos anos 1970 foram: *Os trapalhões*, *Chico City* (com Chico Anísio), *Faça amor, não faça guerra* e *Satiricom* (com Jô Soares, Agildo Ribeiro e Renato Corte Real).

Mas nem só de Rede Globo vivia a TV brasileira dos anos 1970. A TV Record, já decadente e atingida por dois incêndios

O apresentador Abelardo Barbosa, o "Chacrinha", síntese da cultura de massa brasileira.

em suas instalações, ainda apostava em alguns programas de auditório e nos musicais – já sem o velho charme dos festivais – para se manter. A TV Tupi, também mostrando sinais de decadência, ainda mantinha um bom índice de audiência com suas novelas, como: *O Machão* (que revelou o ator Antônio Fagundes), *Meu rico português*, *A viagem*, *O profeta* (estas duas últimas de Ivani Ribeiro que, ao lado de Janete Clair, eram as duas escritoras de novelas mais populares no país). Os programas de auditório da TV Tupi, como *Flávio Cavalcante*, *Clube dos artistas*, *Almoço com as estrelas*, também faziam bastante sucesso.

Em contrapartida, como opção à televisão de entretenimento, surgia um conjunto de emissoras públicas educativas que se consolidaram ao longo da década de 1980, com um excelente padrão de qualidade técnica e cultural, atingindo bons índices de audiência (como a TV Cultura de São Paulo, até hoje referência no setor).

## O TEATRO RESISTE

Entre 1969 e 1971, os três mais importantes grupos teatrais brasileiros – o Arena, o Opinião e o Oficina – se desarticularam ou foram extintos. O Oficina encenou ainda três peças importantes: *Galileu*, *Na selva das cidades* (ambas de B. Brecht) e *Gracias Señor*. Nas três montagens, evidenciou-se a desagregação interna do grupo: os conflitos de personalidade, de gerações (entre atores "velhos" e "jovens"), as diferentes concepções de função social e estética teatral. Na montagem de *Gracias Señor*, o Oficina absorvia de uma vez por todas a estética da contracultura, radicalizando as experiências de improvisação cênica e textual, de diluição de fronteiras entre arte e vida e público e obra. Em 1973, o último remanescente do Oficina original, o diretor José Celso Martinez Corrêa, saiu do Brasil, devido às constantes perseguições policiais ao seu polêmico trabalho.

No anticlímax que sofreu a classe teatral a partir do AI-5, depois de quatro anos sendo um dos eixos do debate estético e ideológico na sociedade brasileira, duas peças marcaram época: *Cemitério de automóveis* (Fernando Arrabal) e *O balcão* (Jean Genet), ambas dirigidas por Victor Garcia e produzidas por Ruth Escobar, que se firmava como produtora independente e personalidade crítica, desafiando o cerceamento cultural imposto pelo regime militar e pela censura. Além disso, as duas peças apontavam para uma nova concepção de uso do espaço cênico do teatro. Mais pela sua concepção cênica e pela atuação dos atores do que pelo texto em si, foram uma espécie de manifesto contra a ditadura, estilizando a violência e a crueldade das instituições oficiais e conservadoras contra o indivíduo (como o Exército, a Igreja, a Justiça) e fazendo o público experimentar, esteticamente, a mesma violência que derrotara as revoluções populares e o direito de manifestar a crítica social e política. No caso de *O balcão*, por exemplo, os espectadores tinham de se movimentar, para cima e para baixo, dentro de estruturas cilíndricas de metal, que lembravam um cárcere.

O teatro, a seu modo, refletiu também a contracultura no Brasil, manifestação de recusa global ao sistema e à sociedade estabelecida, característica da "geração AI-5", tal qual foi definida pelo sociólogo Luciano Martins. Conforme esse autor, a "geração

AI-5" seria caracterizada pela disseminação do uso da droga, pelo modismo psicanalítico e pela desarticulação do discurso racional e politizado, em nome de uma "expansão da mente" e da liberdade de ação individual.

A estética da marginalidade, ou seja, a opção pela transgressão aos costumes morais e sexuais, a crítica radical às instituições, tidas como base do "sistema autoritário" apareciam em diversas peças contraculturais (*Gracias Señor, Hoje é dia de rock, Gente computada igual a você*, entre outras). Uma encenação tida como "irracionalista", que não se preocupava em passar uma mensagem séria nem apelar aos sentimentos do público, caracterizava estas peças, além do uso do humor, às vezes debochado e grotesco. Por outro lado, os atores e diretores que estavam por trás dessas peças passaram a viver em comunidades alternativas, negando a estrutura privada de vida e trabalho, expressas nas famílias tradicionais e nas empresas, e nos grupos teatrais mais tradicionais.

Duas importantes peças que estrearam entre 1973 e 1974 procuravam fazer uma reflexão sobre o papel do teatro na nova conjuntura repressiva do país, dentro de uma cultura de esquerda mais ortodoxa, sem as ousadias do desbunde (palavra que caracterizava o comportamento inconsequente e libertário da contracultura jovem). *Um grito parado no ar* (G. Guarnieri) e *Pano na boca* (Fauzi Arap) encenavam a história de grupos teatrais em busca de sua identidade e de sua inserção na sociedade, procurando diagnosticar os problemas, impasses e soluções para a vida teatral brasileira, dentro de contradições sociais mais amplas. Ainda dentro dessa tendência mais ortodoxa, Paulo Pontes se firmou como um autor cada vez mais reconhecido. *Um edifício chamado 200* e *Gota d'água* são algumas de suas obras mais bem-sucedidas, assim como Oduvaldo Vianna Filho com *Corpo a corpo* – monólogo de um publicitário que, à beira da falência, se vê na iminência de se transformar em "povo" –, sucesso de 1971, e *Longa noite de cristal*, de 1972.

O recrudescimento da censura, entre 1973 e 1975 prejudicou algumas peças com amplo potencial de público, como *Calabar* de Chico Buarque e Ruy Guerra e *Rasga coração*, de Oduvaldo Vianna Filho. No caso de *Calabar*, o consagrado compositor Chico Buarque investiu muito dinheiro na produção e a proibição da peça foi um duro golpe financeiro na sua carreira. O texto propunha uma revisão da figura de Domingos Fernandes Calabar, a partir da ótica da sua viúva, Bárbara, colocando uma questão crucial: o que é ser um traidor da pátria (como a história oficial apresentava a figura de Calabar) quando, na verdade, se vive numa colônia dominada por um governo antipopular e repressivo? Obviamente, o foco da crítica de Chico Buarque e Ruy Guerra era a conjuntura repressiva e entreguista (como eram qualificados aqueles que "entregavam" o país às multinacionais do capitalismo) que o Brasil vivia, após o golpe militar. Como resultado dessa ousadia crítica, a peça foi totalmente proibida, o mesmo acontecendo com as letras das faixas e a capa do disco, com o nome *Calabar* pixado em um muro. Chico ainda retornaria ao teatro em 1975, com *Gota d'água*, escrita com Paulo Pontes, uma adaptação da tragédia *Medeia*, de Eurípedes, para o subúrbio carioca. Como a crítica social e política era inserida em um contexto de vida privada, a censura liberou a peça, que acabou sendo um grande sucesso de público e crítica.

Mergulhado numa profunda reflexão sobre a sua essência e função social, o teatro brasileiro conseguiu atravessar as maiores turbulências da fase mais dura do regime militar. Ao mesmo tempo, espetáculos musicais e dramáticos garantiam algum público, mantendo a carreira de atores e criadores mais consagrados. Timidamente, começava uma renovação significativa, que explodirá no final dos anos 1970 com o surgimento de novos autores, diretores e grupos, cuja trajetória veremos adiante.

## O CINEMA BRASILEIRO em busca de novos caminhos

No cinema, o final da década de 1960 e a primeira metade da década de 1970 também configuravam uma crise estética e política. Cercado pela indústria cinematográfica norte-americana – embora naquele momento Hollywood também não vivesse seus melhores dias – e pela tendência mais intelectualizada dos realizadores ligados ao Cinema Novo, o cinema brasileiro dependia cada vez mais do apoio oficial para realizar filmes que fossem além da demanda por lazer, marca principal do gosto popular pelo cinema. O Cinema Novo tinha conseguido um reconhecimento inédito para o cinema brasileiro, consagrado em festivais considerados artísticos, como Veneza e Cannes, mas carecia de uma penetração maior no público mais amplo de classe média no Brasil, embora agradasse plateias estudantis e intelectualizadas.

Os impasses em torno da função social e estética do cinema, já anunciados em *Terra em transe*, de Glauber Rocha, foram radicalizados pelo chamado Cinema Marginal, cujos marcos foram os filmes *O Bandido da Luz Vermelha*, de Rogério Sganzerla, *Matou a família e foi ao cinema*, de Júlio Bressane e *À margem*, de Ozualdo Candeias. Assim como no teatro, o cinema marginal pode ser classificado como uma variante da contracultura brasileira, propondo a transgressão comportamental e a destruição de qualquer discurso lógico e linear, como as bases da sua criação. Nesses filmes, a linguagem do humor e do grotesco era usada como base das alegorias sobre o Brasil, considerado um país absurdo, sem perspectivas políticas e culturais. Por outro lado, o cinema marginal também radicalizou uma tendência que se anunciava no movimento tropicalista: o estranhamento diante da outrora figura heroica do povo. Nesses filmes, as figuras simbólicas das classes populares são mostradas como grotescas e de "mau gosto", vitimizadas pela desumanização da sociedade e sugadas pelo sistema. O herói não era mais o operário consciente, o camponês lutador ou o militante abnegado de classe média, mas o marginal, o pária social, o artista maldito, o transgressor de todas as regras.

As principais figuras do cinema brasileiro tentavam reciclar suas carreiras diante da nova conjuntura e da derrota iminente da última tentativa da esquerda (a "luta armada") em confrontar diretamente o regime. Glauber Rocha, considerado o maior diretor brasileiro, a partir do final dos anos 1960 percorreu vários países, fixando-se em Cuba por alguns anos. Em 1969 ele ganhou o prêmio de melhor diretor em Cannes, com *O Dragão da maldade contra o Santo Guerreiro*, retomando a linha de *Deus e o Diabo na terra do sol* (1964). Mas a partir do agônico *Cabezas cortadas*, Glauber mergulha numa profunda crise criativa. Nelson Pereira dos Santos, outro diretor consagrado, conseguiu realizar um dos mais importantes filmes da década, chamado *Como era gostoso o meu francês* (1971). O filme é uma releitura da antropofagia cultural, tema em voga naquele momento. Se *Macunaíma*, de Joaquim Pedro de Andrade, sucesso de 1969, era uma leitura tropicalista do anti-herói de Mário de Andrade, o filme de Nelson Pereira, sutilmente, retoma um viés crítico em relação à tendência de abertura da cultura brasileira às influências externas. Além disso, *Como era gostoso o meu francês* contém uma série de alusões à situação política, como a censura, a tortura e a guerrilha. Inspirado na saga de Hans Staden, que passou quase um ano entre os tupinambás, no século XVI, o filme inverte o destino do personagem (nesta caso, um francês e não um alemão). Na vida real, Staden escapou de ser devorado pelos índios, enquanto no filme o herói civilizador estrangeiro é comido, mas, antes de morrer, profere uma espécie de maldição contra os brasileiros que o devoraram. Santos ainda faria outro filme marcante nos anos 1970, sobre a cultura afro-brasileira, intitulado *O amuleto de Ogum* (1975).

Por outro lado, o ano de 1972 assistiu a duas importantes produções do cinema nacional. Os filmes *Independência ou morte*, de Carlos Coimbra, e *Os inconfidentes*, de Joaquim Pedro de Andrade, mostravam leituras diferentes dos eventos e personagens históricos "oficiais". Enquanto o primeiro filme assumia a história oficial, narrando os fatos de maneira linear e simplista, enfatizando os amores do imperador e tentando imitar o luxo das produções estrangeiras, *Os inconfidentes* foi realizado dentro de uma concepção "cinema de autor", de produção barata, despojada e utilizando-se do tema da Inconfidência Mineira para, na verdade, discutir a crise na esquerda brasileira e sua fracassada opção pela luta armada contra o regime militar. Os revolucionários/inconfidentes no filme se perdiam em ilusões de conquista do poder, projetos utópicos e discursos vazios, ao mesmo tempo em que se isolavam da população e dos trabalhadores, no caso, simbolizados pelos escravos. O curioso é que o filme praticamente não tem diálogos próprios, sendo uma colagem de textos retirados dos *Autos da devassa*, do *Romanceiro da Inconfidência* (de Cecília Meireles) e dos poemas de Claudio Manoel da Costa, Tomás Antônio Gonzaga e Alvarenga Peixoto. Enquanto *Independência ou morte* tornou-se um grande sucesso de público – motivado, sobretudo, pela presença do famoso casal das novelas da época, Tarcísio Meira e Glória Meneses –, o filme de Joaquim Pedro não agradou as plateias menos atentas, embora não tenha chegado a ser um fracasso de bilheteria completo. Independentemente da qualidade de um ou outro, ambos os filmes são documentos importantes para se compreender a complexa configuração cultural do início da década de 1970, oscilando entre o ufanismo oficial, partilhado por muitos setores da sociedade, e a crítica velada, exercitada por poucos, mas influentes, atores sociais.

Numa outra perspectiva, o filme *Toda nudez será castigada*, de Arnaldo Jabor, baseado na peça de Nelson Rodrigues, foi um grande sucesso de 1973, consagrando o jovem diretor revelado pelo Cinema Novo. De longe, o filme foi a melhor adaptação cinematográfica das polêmicas peças do dramaturgo, que mostra as tensões entre personagens divididos entre uma moral rigorosa e um impulso para a transgressão, gerando culpas, expiações e autopunições.

Trabalhando com o tema da sexualidade de uma forma mais questionável, do ponto de vista estético e dramático, surgiu no início dos anos 1970 o gênero cinematográfico que ficou conhecido como pornochanchada. Geralmente, esses filmes eram produções muito baratas, feitas em estúdios improvisados, com atores e atrizes desconhecidos, a maioria deles sem talento dramático, mas com alguma beleza física. As histórias eram variações dentro do mesmo tema: a traição conjugal, as estratégias de conquista amorosa, as moças do interior que se perdiam na cidade grande, as relações entre patrões e empregadas ou entre chefes e secretárias. A partir desses motes, os filmes abusavam das cenas de nudez feminina e de simulações malfeitas de sexo. Independentemente da sua baixa qualidade, o gênero foi responsável por levar aos cinemas milhões de pessoas que nunca viam filmes brasileiros, geralmente oriundas das classes populares. Dentro do gênero pornochanchada foram realizados alguns filmes criativos, com bons roteiros, muitos deles escritos por Sílvio de Abreu, autor de telenovelas consagradas nos anos 1980, como *Guerra dos sexos*. Mas a maior parte das produções eram baratas e sem roteiro definido, concentrando-se no desfile de corpos nus.

A partir de 1975, como veremos adiante, o cinema brasileiro conheceu sua maior consagração de público, conciliando certo reconhecimento da crítica com amplo reconhecimento popular, inclusive da classe média, que resistia aos padrões estéticos do nosso cinema.

## CENSURA E POLÍTICA cultural: a atuação do Estado na cultura

O regime militar brasileiro passou para a história como um regime que cerceou e controlou a expressão artística e cultural. Se existiu uma política cultural que perpassou os governos militares, ela pode ser resumida numa palavra: censura. Como os artistas, jornalistas e intelectuais foram os únicos atores sociais que mantiveram algum espaço de liberdade de expressão após o golpe, a nova onda autoritária, pós AI-5, recaiu com especial vigor sobre eles. Na verdade, no caso particular do teatro, a atuação dos censores era constante desde 1964.

Formalmente, a censura estava a cargo do Departamento de Censura e Diversões Públicas do Departamento de Polícia Federal, órgão ligado ao Ministério da justiça. Mas, na prática, órgãos mais diretamente ligados aos militares, como o Serviço Nacional de Informações, os diversos centros de inteligência das Forças Armadas, ou mesmo a opinião mais contundente de algum oficial graduado acabavam interferindo nas ações e decisões da censura. Regulamentada entre o final de 1968 e meados de 1969, na prática, a ação da censura seguia critérios vagos. Na dúvida, proibia-se na íntegra ou solicitava-se do autor os cortes necessários. Uma obra poderia ser proibida por causa do seu título, como ocorreu, por exemplo, com o livro o *O vermelho e o negro*, de Stendhal, ou *O cubismo*, de Ferreira Gullar, que nada tinham de comunistas. Na brilhante interpretação dos censores, o vermelho do título fazia alusão ao comunismo (!!!) e o cubismo como, era uma alusão a Cuba, país comunista do Caribe. A obra poderia ser censurada por causa do tema por exemplo, a peça *Calabar*, de Chico Buarque e Paulo Pontes, ou pelo seu conteúdo. O famoso Balé Bolshói de Moscou, uma das companhias de dança mais respeitadas do mundo, foi proibida no Brasil, simplesmente pelo fato dos seus integrantes serem cidadãos soviéticos. Uma obra ainda poderia ser censurada, simplesmente por causa do seu autor. Se este fosse um nome "maldito" nos meios militares, considerado subversivo, deveria ser particularmente vigiado. Foi o que aconteceu, por exemplo, com Chico Buarque, na música, ou Plínio Marcos, no teatro.

Mas a censura deve ser compreendida de uma forma mais detalhada. Sua ação e seus efeitos eram diferenciados conforme a área de expressão e a natureza da obra censurada. Entre 1969 e 1979, quando a censura foi mais rigorosa, o teatro foi uma das áreas mais afetadas. Foram cerca de 450 peças interditadas, total ou parcialmente. No cinema, cerca de quinhentos filmes,muitos deles estrangeiros, tiveram o mesmo destino. Na música popular, alguns compositores foram particularmente perseguidos, como Chico Buarque, Gonzaguinha, Taiguara, entre outros. Na grande imprensa e mesmo na pequena imprensa, também chamada de alternativa – jornais sem vínculo com as grandes empresas de comunicação –, a censura foi rigorosíssima. A diferença era que, nos grandes jornais e revistas, muitas vezes havia um funcionário da própria empresa encarregado de fazer cumprir os bilhetinhos que chegavam de Brasília, proibindo este ou aquele tema ou abordagem. A censura prévia nesses veículos de informação diária comprometia, inclusive, o lado comercial do jornal, pois atrasava o fechamento das edições e, consequentemente, a chegada dos jornais às bancas. Na literatura propriamente dita, a censura foi mais atuante a partir de 1975, contradizendo a própria tendência de "abertura" do regime militar. Até porque o mercado editorial no Brasil conhece uma grande expansão a partir da segunda metade dos anos 1970. No total, cerca de duzentas obras literárias foram proibidas.

Nos meios de comunicação de massa, como o rádio e a TV a censura oficial do regime era complementada, ou mesmo substituída pela autocensura imposta pelos donos das emissoras e das redes. A razão era simples: as empresas eram as principais beneficiárias da política de expansão da infraestrutura de comunicação (por exemplo, a inserção do Brasil na rede de satélites de comunicação) patrocinada pelo regime militar. Qualquer conflito com o governo poderia ocasionar uma represália em termos econômico-financeiros, desastrosa para a atividade.

Paralelamente a esses procedimentos de vigilância e silenciamento das vozes da oposição cultural e política, o regime militar desenvolveu um conjunto de políticas de incentivo à produção cultural, chegando, em algumas áreas, a apoiar financeiramente a produção e a distribuição das obras, como no caso do cinema. Esta tendência se incrementou a partir da segunda metade dos anos

1970, mas já se esboçava, timidamente, no final da década anterior. Algumas agências oficiais se destacaram nesta política de promoção e distribuição da cultura: a Embrafilme, surgida em 1969, e o Concine – Conselho Superior de Cinema –, em 1975. A primeira, em princípio, tinha a função de ajudar na distribuição de filmes brasileiros e, com o tempo, passou a apoiar também a produção. Lembramos que a distribuição dos filmes, ou seja, a chegada das cópias nas salas de cinema, do Brasil e do mundo, era o grande problema do cinema brasileiro, desde os anos 1950. Com o mercado dominado por Hollywood e suas distribuidoras, muitos filmes com um bom potencial de público simplesmente não conseguiam competir com o cinema norte-americano porque nem sequer eram exibidos na maioria das salas de cinema ou promovidos de maneira eficaz. Quanto ao Concine, sua principal tarefa era normatizar e fiscalizar o mercado, criando leis de incentivo e obrigatoriedade de exibição de um percentual de filmes brasileiros.

Outra agência oficial que se destacou nos anos 1970 e realizou um importante trabalho de divulgação cultural foi o SNT – Serviço Nacional de Teatro. Com inúmeras campanhas de popularização, barateamento do ingresso e apoio direto à produção o SNT, paradoxalmente, contribuiu para divulgar uma das áreas mais perseguidas pela censura. E não se pense que apenas peças oficiais eram apoiadas. Muitas peças de conteúdo crítico e atores ligados à oposição tinham o apoio do SNT. O caso mais famoso foi a peça *Patética*, sobre a morte do jornalista Vladimir Herzog, nas dependências do II Exército em São Paulo. A peça foi premiada pelo SNT, mas a censura vetou a entrega do prêmio e a montagem. A própria nomeação de Orlando Miranda, empresário teatral que tinha o apoio de setores da classe artística, para a direção do SNT em 1975 representou uma complexa e longa negociação entre profissionais de teatro e o governo federal, a partir de 1973.

A política cultural do regime militar pode parecer estranha e irracional num primeiro momento. De um lado, censura e perseguição aos artistas, e de outro, apoio direto à produção cultural nacional. Nesse sentido, alguns pontos devem ser esclarecidos. Em primeiro lugar, o apoio direto à cultura nacional cresceu na medida em que a censura ficou mais branda, isto é, a partir de 1975, sugerindo com isso uma espécie de corolário da política de abertura "lenta, gradual e segura" do governo Geisel (1974-1979). Lembramos que esse governo tinha uma política de "distensão" em relação aos artistas e jornalistas, como forma de diminuir o isolamento junto à opinião pública de classe média das grandes cidades brasileiras, leitora de jornais e consumidora de produtos culturais. A derrota surpreendente do partido oficial, a Arena – Aliança Renovadora Nacional –, nas eleições de 1974, havia deixado o governo perplexo com o comportamento do eleitorado das grandes cidades, e a aproximação com a imprensa e os artistas era um canal importante de comunicação entre Estado e sociedade.

Em segundo lugar, devemos ter em mente que alguns governos militares, como o do general Geisel, apesar de, em linhas gerais, aprofundar os elos econômicos com o capitalismo internacional, desenvolviam uma política nacionalista em vários setores. A cultura era um deles, pois era um meio de integração nacional, independentemente do conteúdo das obras. O fato de uma produção nacional – na música, no teatro, no cinema –, conseguir formar um público representava a manutenção de um espaço importante em face da "invasão cultural estrangeira", sobretudo a norte-americana, cuja força econômica era avassaladora. Apesar de toda a perseguição, setores da esquerda nacionalista, ligada ao PCB, vislumbraram elementos positivos nesta política cultural nacionalista e até chegaram a elogiá-la.

Em terceiro lugar, havia uma contradição entre os diversos órgãos e agências do governo. Enquanto os órgãos militares e de segurança mantinham uma lógica de controle, repressão e vigilância, muitos órgãos da cultura eram dirigidos por pessoas ligadas às artes e ao meio intelectual, sobretudo após 1975, como Roberto Farias, na Embrafilme, e Orlando Miranda, no SNT. Esses nomes eram elos entre o Estado e a classe artística, desempenhando um papel de mediadores das tensões entre um e outro. Além disso, o mecenato cultural era um importante dispositivo do governo para tentar cooptar opositores e mantê-los sob controle, mesmo permitindo uma certa liberdade de expressão em suas obras.

A tentativa de dotar de maior organicidade a política cultural do regime militar e sistematizar a aproximação com os artistas e intelectuais ficou clara no documento intitulado Política Nacional de Cultura, publicado pelo MEC – Ministério da Educação e Cultura, em 1975, e elaborado sob a coordenação de Afonso Arinos de Meio Franco a pedido do ministro Ney Braga. Esse documento revela as várias faces, muitas vezes paradoxais, da relação entre o regime militar e a cultura. Por um lado, ele mantém o papel de vigilante do Estado, que deveria "zelar" pelo "bom gosto" na programação dos meios de comunicação e na produção artística, palavras que facilmente derivavam para a censura pura e simples. Por outro, ele enfatizava a necessidade de "proteger a cultura nacional" do "colonialismo" disseminado pela indústria cultural, que ameaçava descaracterizar o "homem brasileiro". Curiosamente, essa mesma indústria cultural crescia a passos largos, favorecida pela política de desenvolvimento econômico e expansão do mercado, realizada pelo próprio regime. Além disso, o tom nacionalista e crítico em relação à cultura de massa agradou alguns setores da esquerda, que, apesar de inimigos ideológicos do regime, aplaudiram a preocupação do governo Geisel em relação a esses pontos. Sobretudo os artistas que não tinham espaço no mercado acabaram por vislumbrar uma possibilidade de o Estado contrabalançar a supremacia das empresas privadas nacionais e multinacionais na área cultural. Artistas conhecidos pela sua verve crítica ao poder chegaram a elogiar o governo militar. Os casos que mais geraram polêmica na opinião pública foram as declarações elogiosas a Geisel e Golbery do Couto e Silva, o estrategista da abertura, feitas por Glauber Rocha e Jards Macalé.

Ao lado da criação da Funarte, uma fundação de incentivo à produção artística e à conservação do patrimônio cultural nacional (folclórico e histórico), a Política Nacional de Cultura foi o grande acontecimento da política cultural de 1975. Isto não significa que a censura implacável, a cargo do DPF, tivesse acabado. Embora mais branda do que no final do governo Médici, de 1972 até o início de 1974, a censura oficial prévia se fez presente até 1979, quando foi praticamente extinta, como parte da agenda de abertura do regime e de transição para o governo civil.

# Contra todas as ditaduras (1976-1980)

## A ABERTURA política e a cultura

Os efeitos da grande crise internacional do petróleo, provocada pela guerra entre árabes e israelenses em 1973, logo chegaram no Brasil, decretando a morte do "milagre econômico". A partir de 1974 seria impossível manter os altos níveis de crescimento econômico, que chegaram a taxas de 10% ao ano, e a inflação baixa, permitindo, assim, manter os salários arrochados sem um impacto imediato na vida dos trabalhadores. Por outro lado, a luta armada organizada pela esquerda havia sido definitivamente esmagada pelo regime. Em 1973, quase todas as organizações guerrilheiras já estavam desmembradas, com os seus integrantes presos, mortos ou exilados.

O controle rígido dos meios de comunicação, por meio da censura, criava uma situação contraditória: o governo garantia a não divulgação dos assuntos polêmicos para a vida nacional, criando uma ilusão de paz e ordem mas, ao mesmo tempo, não conseguia sondar as tendências da opinião pública. Lembramos que a imprensa, ao mesmo tempo em que informa e forma, desempenha o papel de sondagem da opinião pública e, assim, indiretamente, orienta as análises e estratégias políticas de qualquer governo. Esse papel, em razão da censura prévia e da perseguição aos jornalistas, via-se prejudicado.

Em março de 1974, um novo governo militar tomou posse, comandado por Ernesto Geisel, o presidente, e pelo general Golbery do Couto e Silva, chefe da casa civil – uma espécie de assessor estratégico. A conjuntura era outra, em relação ao início da década de 1970: a crise econômica era galopante, a classe média, que havia sido a base social de apoio ao golpe em 1964, estava cada vez mais sensível à oposição, e a guerrilha estava derrotada, tornando questionável, para os próprios adeptos do regime, o recurso à censura rígida e aos métodos clandestinos de repressão, como sequestros, torturas, assassinatos, amplamente utilizados pelo regime militar, sobretudo entre 1969 e 1975. A derrota, surpreendente, do partido do governo nas eleições legislativas de 1974 foi um nítido recado da insatisfação da sociedade brasileira. Ficava claro que o regime, apesar de todo o controle, perdia a legitimação política, mesmo dentro dos limites estreitos das regras impostas. Além disso, o crescimento da "comunidade de informações" (conjunto de órgãos e grupos ligados à repressão política) durante a guerra subversiva ameaçava a própria autoridade do governo e a hierarquia militar, tornando-se um verdadeiro "Estado dentro do Estado", com regras próprias e relativa autonomia de ação.

Essa perigosa autonomia ficou clara no episódio da morte do jornalista Vladimir Herzog, em 1975. Descontentes com a política de abertura e desafiando a ordem do governo de suspender as torturas em presos políticos, setores do exército passaram a concentrar a repressão a jornalistas de esquerda, visando sabotar a tímida aproximação entre o governo e a grande imprensa, que então se esboçava. Em outubro de 1975, o jornalista Vladimir Herzog, da TV Cultura de São Paulo, apareceu morto numa cela do QG do II Exército. Além disso, o II Exército fez divulgar a foto do jornalista morto, seguro por uma corda no pescoço, atada à janela. A versão oficial era a de que o jornalista havia se enforcado, e o fato de a janela ser baixa e as pernas do jornalista estarem dobradas só aumentava o ridículo da *causa mortis* oficial. Os torturadores nem mesmo se deram ao trabalho de desaparecer com o corpo, prática comum na época. A mensagem estava posta, para o governo e para a sociedade, como se os agentes da repressão dissessem "estamos vivos e continuaremos atuantes". No início de 1976, o operário Manoel Fiel Filho também foi morto, sob tortura, no mesmo quartel. Se da primeira vez o governo havia apenas repreendido o comandante do

II Exército, com a segunda morte, um claro desafio à autoridade e à política de abertura, o general Geisel demitiu-o sumariamente. Infelizmente, esse tipo de punição foi o máximo que torturadores e chefes de torturadores receberam. A partir daí, estabeleceu-se um pacto entre governo militar e "comunidade de informações": se esta ficasse quieta, aquele garantiria a impunidade por crimes passados.

A morte do jornalista Vladimir Herzog foi um marco na rearticulação da sociedade civil, cada vez mais oposicionista, inclusive aqueles setores que não eram de esquerda, como os liberais. A missa em memória do jornalista, celebrada na Catedral da Sé, reuniu 8 mil pessoas, e foi um dos primeiros atos públicos de massa contra o regime militar, depois do AI-5. A partir de 1976, a abertura, embora tímida e limitada, parecia irreversível. Na vida cultural esse processo gerou uma situação ambígua, com o governo tentando utilizar a cultura e a imprensa como uma forma de se aproximar de intelectuais e formadores de opinião. A aproximação de Geisel com setores da imprensa liberal e a Política Nacional de Cultura do MEC, encomendada pelo ministro Ney Braga, foram exemplos dessa nova postura. Por outro lado, para a sociedade, a cultura passou a ser o território de rearticulação política, uma espécie de esfera pública da oposição civil ao regime militar.

## MPB: A TRILHA sonora da abertura

Por volta de 1976, entre os diversos setores da cultura, a Música Popular Brasileira (MPB) consolidou sua vocação oposicionista, de resistência ao regime militar. Além disso, seus principais compositores foram beneficiados pelo abrandamento da censura, podendo compor canções com letras críticas que tinham grande aceitação entre os ouvintes. Consolidava-se o fenômeno que o professor José Miguel Wisnik chamou de "rede de recados", desempenhado pela canção popular na época da ditadura, que fazia circular mensagens de liberdade e justiça social, ainda que se utilizando de uma linguagem sutil e simbólica, numa época marcada pela repressão e pela violência. Não é exagero dizer que a MPB foi uma espécie de "trilha sonora" da abertura, estando no centro de várias manifestações e lutas da sociedade civil nos anos 1970.

Se, no início dos anos 1970, a MPB era consumida preferencialmente por jovens universitários, a partir de meados daquela década transformou-se no carro-chefe da indústria fonográfica brasileira, passando a ser consumida por amplos segmentos da classe média e chegando, em alguns casos, a ter uma boa penetração nos setores populares, sobretudo no final da década de 1970. Do ponto de vista comercial, a MPB era importante para a indústria fonográfica na medida em que seus ouvintes mais fiéis se concentravam nas faixas de consumo mais ricas e informadas da população. Geralmente, os artistas de MPB tinham maior liberdade de criação e podiam contar com maiores recursos das gravadoras para gravar seus discos, pois mesmo vendendo menos do que as ditas canções e gêneros mais populares, geravam muito lucro às gravadoras, pois eram produtos mais caros e sofisticados, sendo vendidos a um preço maior. Além disso, a MPB movimentava um importante mercado de *shows* ao vivo. O interesse crescente pelos principais compositores e intérpretes da MPB, que já vinha dos anos 1960, garantia às rádios uma audiência mais sofisticada e com um maior poder aquisitivo, atraindo consequentemente anunciantes mais qualificados. Todos esses fatores faziam a máquina comercial funcionar em torno deste gênero para além das suas virtudes propriamente estéticas ou políticas. Podemos dizer que, entre 1975 e 1980, a Música Popular Brasileira viveu seu auge de público e crítica, com uma ampla penetração social.

O primeiro grande fenômeno de público deste *boom* da Música Popular Brasileira, foi o show *Falso brilhante*, no recém-inaugurado Teatro Bandeirantes, estrelado pela consagrada Elis Regina. A partir de setembro de 1975, ao longo de 14 meses, com uma incrível média de 1.500 pessoas por noite, a cantora encantava a plateia com músicas que fundiam o lírico e o político, num conjunto harmônico de música e poesia. O disco homônimo foi um dos principais marcos de vendagem da carreira de Elis que, ao lado de Chico Buarque de Hollanda, conseguiu executar uma difícil missão na área da cultura, conciliando qualidade e popularidade. Até sua morte precoce, em 1982, Elis seguiu uma trajetória de consagração artística e sucesso popular, cujo auge pode ser considerado a música "O bêbado e a equilibrista", de João Bosco / Aldir Blanc, considerado o hino da luta pela anistia aos presos e exilados pelo regime, conseguida apenas em 1979. Dizia a letra, numa franca homenagem à resistência da sociedade civil durante os anos de chumbo:

> Caía
> a tarde feito um viaduto
> e um bêbado trajando luto
> me lembrou Carlitos
> a lua tal qual a dona do bordel
> pedia a cada estrela fria
> um brilho de aluguel
> e nuvens lá no mata-borrão do céu
> chupavam manchas torturadas
> que sufoco
> louco
> o bêbado com chapéu coco
> fazia irreverências mil
> pra noite do Brasil
> [...]
> mas sei
> que uma dor assim pungente
> não há de ser inutilmente
> a esperança
> dança
> na corda bamba de sombrinha
> e em cada passo dessa linha
> pode se machucar
> Azar
> a esperança equilibrista
> sabe que o show de todo artista
> tem que continuar

Outro nome fundamental para a MPB dos anos 1970 foi Chico Buarque de Hollanda. O compositor passou por uma fase difícil, entre 1973 e 1975, quando o seu projeto teatral e musical *Calabar* foi totalmente proibido e Chico teve de inventar um pseudônimo para conseguir driblar a censura, o impagável "Julinho da Adelaide", um fictício sambista de morro. Mas, a partir de *Meus caros amigos*, lançado no final de 1976, Chico reencontra o sucesso popular e os aplausos da crítica musical. São deste disco algumas canções antológicas como "Meu caro amigo", "O que será", "Mulheres de Atenas", verdadeiros documentos poético-musicais para se entender aquele momento histórico, pois retratam as esperanças renovadas na reconquista da democracia e a volta das manifestações populares em praça pública, o que ocorreria efetivamente após 1977, com a nova ofensiva dos movimentos estudantil e operário, depois de quase dez anos de refluxo.

Mas o sucesso da MPB na época não se deve apenas a Chico e Elis. Os também consagrados Caetano Veloso e Gilberto Gil lançam discos antológicos, como *Refazenda* (1975), *Refavela* (1976) de Gil, e *Joia* (1975), *Qualquer coisa* (1976), *Bicho* (1977) e *Muito* (1978), de Caetano. Este último, por sinal, um grande sucesso popular, puxado pela faixa "Sampa", cuja letra propunha uma leitura totalmente nova da vida urbana e das contradições da modernidade brasileira. A "Sampa" da canção era apresentada como uma cidade multifacetada, rica e pobre, moderna e provinciana, bela e feia, acolhedora e hostil, tudo ao mesmo tempo, produto paradoxal "da força da grana que ergue e destrói coisas belas..." Caetano e Gil consolidaram sua vocação de ídolos da juventude mais intelectualizada e libertária, embora suas declarações políticas e comportamentais, bem como o visual *hippie* e andrógino, provocassem algum desconforto na juventude de esquerda, mais ortodoxa em termos de comportamento. Por exemplo, a música "Odara", do LP *Bicho,* provocou uma grande polêmica entre Caetano e a esquerda nacionalista (mais uma, aliás...) pois a música era um apelo ao prazer e à dança, utilizando-se inclusive de uma batida *discoteque* (a grande moda *pop* da época), enquanto a esquerda cobrava uma maior seriedade do músico popular, que deveria evitar a incorporação de modas musicais consideradas "alienantes" em relação aos verdadeiros valores nacionais e populares.

Outros compositores/intérpretes também fizeram muito sucesso na segunda metade dos anos 1970. Milton Nascimento consagrou-se definitivamente com os discos *Minas* (1975), *Gerais* (1976) e *Clube da esquina 2* (1978). A composição "O cio da terra", em parceria com Chico Buarque, foi um grande sucesso popular nas vozes do Quarteto em CY e do MPB4 e se tornou um dos hinos da luta pela reforma agrária, falando da vida camponesa e da busca da dignidade humana de uma maneira sutil e poética. João Bosco e Aldir Blanc também se consagraram a partir de 1975, sendo responsáveis por verdadeiros clássicos da MPB, como "Mestre-sala dos mares", "Kid Cavaquinho", "Plataforma" e "O bêbado e a equilibrista". Em suas músicas, Bosco e Blanc falavam do povo brasileiro e da resistência à ditadura de uma maneira ora bem humorada ("Siri recheado..."), ora muito dramática ("Tiro de misericórdia"), trabalhando com questões cotidianas, numa abordagem muito próxima à crônica jornalística. Gonzaguinha e Ivan Lins fechavam o primeiro escalão dos compositores engajados consagrados ao longo dos anos 1970. A eles juntavam-se novos nomes, como Fagner, que explodiu para o sucesso em 1976, e Belchior, autor de dois grandes sucessos na voz de Elis, "Velha roupa colorida" e "Como nossos pais". Essas canções marcaram época sobretudo porque retratavam a juventude de uma maneira desencantada, sem capacidade para mudar o mundo e, neste sentido, traduzindo o clima de "o sonho acabou" – frase que sintetizou o esgotamento dos movimentos juvenis dos anos 1960.

No final da década, entre 1977 e 1979, foi a vez da consagração de novos intérpretes, sobretudo algumas cantoras reveladas na época. Ao lado de Elis Regina, Gal Costa, Clara Nunes e Maria Bethania, cujo LP *Álibi*, de 1978, foi o primeiro disco de uma cantora a atingir um milhão de cópias vendidas, nomes como Simone, Elba Ramalho, Zizi Possi apareciam para o grande público. Entre as vozes masculinas, Ney Matogrosso consolidava sua carreira individual, depois do meteórico sucesso junto com Os Secos e Molhados.

Além da MPB, outros gêneros de música brasileira foram reconhecidos pelo público e pela crítica. O samba tradicional conseguiu conciliar prestígio cultural e reconhecimento popular com os trabalhos de Martinho da Vila, Paulinho da Viola e Beth Carvalho, entre outros. O *rock* brasileiro, capitaneado pelas figuras de Rita Lee e Raul Seixas, iniciava sua trajetória de consagração entre a juventude, que viria a substituir a própria MPB, como a "menina dos olhos" da indústria fonográfica, na década de 1980.

A MPB, o samba e o *rock* acabaram formando uma espécie de frente ampla contra a ditadura, cada qual desenvolvendo um tipo de crítica, atitude e crônica social que forneciam referências diversas para a ideia de resistência cultural. A MPB com suas letras engajadas e elaboradas, o samba com sua capacidade de expressar uma vertente da cultura popular urbana ameaçada pela modernização conservadora capitalista e o rock com seu apelo a novos comportamentos e liberdades para o jovem das grandes cidades. Não foi por acaso que ocorreram muitas parcerias, de shows e discos, entre os artistas dos três gêneros.

## UMA NOVA cultura popular de massa

Paralelamente ao sucesso e ao reconhecimento de uma cultura de massa considerada mais sofisticada, da qual a MPB era o maior exemplo, os anos 1970 presenciaram a consolidação de uma cultura de massa considerada popularesca, tida pela opinião pública mais intelectualizada e pela crítica jornalística como próximas ao mau gosto. E claro que essas classificações são passíveis de questionamento e devem ser tomadas com cuidado. Mas, de uma forma ou de outra, traduzem a hierarquia cultural vigente na sociedade brasileira, a partir do final dos anos 1960. Não se trata da dicotomia tradicional entre "cultura de elite" e "cultura popular", mas uma dicotomia entre "cultura de massa valorizada" e "cultura de massa desvalorizada" (ou, respectivamente, *midcult* e *masscult*, conforme a classificação da sociologia norte-americana que estudou o fenômeno). Esse é um dos aspectos mais peculiares, e menos estudados, da cultura brasileira após os anos 1950. Essa dicotomia no Brasil atinge seu ponto máximo nos anos 1970.

Várias áreas de expressão cultural e produtos de comunicação de massa constituíram o campo dessa "cultura popular de massa": a chamada música brega, sinônimo de mau gosto, que encontrava seu espaço nas rádios AM; os programas de auditório (Silvio Santos, Chacrinha, Bolinha, entre outros); o cinema popular, hegemonizado pelas pornochanchadas e pelas comédias de tipo circense. Não devemos considerar que o público era uma coisa só e que todos os membros das classes populares urbanas – basicamente, os subempregados, operários e pequenos funcionários públicos das grandes cidades e os assalariados das cidades médias e pequenas – tinham as mesmas preferências culturais. O acesso a produtos considerados menos nobres deve ser explicado também pelas condições de consumo cultural impostas às classes populares, e não apenas como uma questão de refinamento do gosto natural ou nível educacional.

Geralmente, a música brega, os programas de auditório, os receptores de rádio AM, as revistas e jornais tidos como populares eram veículos e produtos mais baratos. Eram veiculados em horários mais acessíveis aos trabalhadores, às tardes ou em fins de semana. Alguns meios de comunicação de massa, como o rádio, eram os únicos veículos de informação e cultura a que algumas faixas de trabalhadores mais pobres tinham acesso, como as empregadas domésticas e os operários de construção civil, geralmente o primeiro emprego urbano dos migrantes rurais. Além disso, populações operárias e de classe média baixa acabavam tendo como grande referencial a TV além de outros produtos mais acessíveis, como jornais, coleções em fascículos de cultura geral, revistas de fatos diversos, como *Manchete* e *Cruzeiro*, editadas desde os anos 1940/1950. Esse quadro de consumo cultural eventualmente poderia mudar, caso algum membro da família viesse a ser um estudante secundário ou universitário – lembremos que, apesar de tudo, houve uma expansão das vagas em escolas e universidades nos anos 1970. O indivíduo jovem que tinha condições de estudo e certo poder aquisitivo (vivia-se uma época de pleno emprego, apesar da crise econômica crescente) acabava por ter acesso a outros veículos e produtos culturais, considerados mais sofisticados.

Essas considerações são importantes para demonstrar que o problema do gosto e do nível de consumo cultural é muito complexo e que a dicotomia no seio da cultura de massa brasileira deve ser mais bem estudada. O fato é que, por diversos fatores e variáveis aqui mencionados, constituiu-se ao longo dos anos 1970 um território complexo de uma cultura popular de massa, que já não era mais a cultura popular tradicional, folclórica, nem uma cultura de massa com aspirações a ser uma cultura de elite, como alguns setores da música popular e do cinema.

A música brega de Agnaldo Timóteo, Waldick Soriano, Odair José, Fernando José, Amado Batista, entre outros, agradava as populações mais pobres, expressando, de maneira muitas vezes exagerada e grotesca, o universo amoroso das empregadas domésticas e das operárias, bem como aspectos da vida e do lazer nas periferias das grandes cidades, de uma maneira muitas vezes espontânea, mas simplória. Outras variantes da música popular dos anos 1970 eram mais valorizadas socialmente e penetravam em segmentos sociais mais abastados, embora criticadas pelos segmentos politizados e intelectualizados da sociedade. Por exemplo, as canções românticas de Roberto Carlos e o sambão do começo da década de 1970 do grupo Originais do Samba, Luiz Ayrão, Benito di Paula, Antonio Carlos e Jocafi, entre outros.

Na televisão, os programas de auditório repetiam a mesma hierarquia de público e valor social. Havia os programas mais populares, transmitidos geralmente nos horários da tarde ou nos finais de semana, como Sílvio Santos e seu longo programa dominical de mais de oito horas de duração, ou os programas de Abelardo Barbosa, o Chacrinha, Raul Gil, Edson Cury, o Bolinha e outros apresentadores famosos na época. Geralmente, nesses programas desfilavam ídolos bregas, calouros (aspirantes a cantor), além de gincanas e entrevistas com artistas populares. Um pouco mais valorizados, direcionados sobretudo à classe média e a faixas etárias mais avançadas, eram os programas de Flávio Cavalcanti, Hebe Camargo, bem como o *Clube dos artistas*, apresentado pelo casal Airton e Lolita Rodrigues.

Completando esta cultura popular marcadamente "televisual" havia as novelas, sobretudo aquelas apresentadas no horário nobre das 19 e 20 horas, os seriados norte-americanos e, direcionado ao público infanto-juvenil, os desenhos animados e filmes vespertinos de aventura, sucessos desde os anos 1960, como *Perdidos no espaço*, *Batman*, *Bonanza*).

## ATÉ A TV protesta

É curioso notar, porém, que mesmo a programação da TV reproduzia a hierarquia de valor no seio da cultura de massa. A abertura proposta pelo governo e a existência de uma audiência qualificada (de maior poder aquisitivo ou maior nível educacional) estimulavam a TV a discutir temas políticos e sociais em seus diversos gêneros de programas. Esse processo de politização e veiculação de produtos de qualidade e conteúdo mais complexos foi um dos notáveis fenômenos da TV da segunda metade dos anos 1970 e de boa parte da década de 1980.

A TV Bandeirantes, de São Paulo, por exemplo, sem compromisso com grandes audiências, optou por realizar uma série de musicais com os grande nomes da MPB. A inauguração do Teatro Bandeirantes em 1974 abriu um novo palco de MPB na cidade. A partir daí a emissora realizou vários musicais especiais (série "Documento") com Chico Buarque, Milton Nascimento, Elis Regina, entre outros, aproveitando o fato de os músicos de esquerda não serem muito simpáticos à Rede Globo, símbolo de indústria cultural e apoio à ditadura.

Sobretudo após 1979, com a consolidação da política de abertura e a volta do debate político mais livre, com a perspectiva da Anistia, o crescimento do movimento operário e da reforma partidária, o telejornalismo se abriu para temas sérios e polêmicos da vida nacional. Houve uma verdadeira febre de programas de entrevistas, geralmente transmitidos nos horários mais avançados da noite. Novamente, a TV Bandeirantes se destacou, com o programa *Informação*. As TVs educativas, com destaque para a TV Cultura de São Paulo e a TVE do Rio de Janeiro, também apostaram no jornalismo. O programa *Vox Populi*, da TV Cultura, aproveitava a nova liberdade de palavra proporcionada pela abertura, tornando-se um referencial no gênero. O próprio Glauber Rocha, um pouco antes de morrer, chegou a realizar um programa de entrevistas e reportagens para a TV Tupi de São Paulo, intitulado *Abertura*.

Mesmo a teledramaturgia da Rede Globo, uma emissora marcada pelo perfil conservador de sua programação, teve de se adaptar à nova febre de politização pela qual o país passava, entre 1978 e 1980. Até meados da década, a emissora reservava apenas a novela das 22 horas para as experiências formais e temas mais polêmicos, geralmente ambientadas no nordeste, quase sempre escritas por Dias Gomes. Em 1979, a Globo lançaria um outro formato de teledramaturgia, no mesmo horário, as chamadas "séries brasileiras".

Além de transformar em série *O bem amado*, as aventuras do prefeito corrupto Odorico Paraguaçu, foram lançados outros títulos de grande sucesso: *Malu mulher*, com Regina Duarte, cujo tema central era a luta de uma mulher separada para se afirmar pessoal e profissionalmente; *Carga pesada*, com os caminhoneiros Pedro (Antonio Fagundes) e Bino (Stenio Garcia), heróis populares que lutavam para se manter dignos numa sociedade cheia de conflitos e injustiças; *Plantão de polícia*, série que mostrava os bastidores de uma delegacia e a violência urbana, sob a ótica de um repórter. Essas séries expressavam uma nova demanda do telespectador médio da época, ansioso por ver um pouco mais do Brasil real na telinha, depois de anos e anos de censura e repressão política.

## TEATRO E CINEMA na segunda metade dos anos 1970: dois caminhos diferentes

Na segunda metade dos anos 1970, o cinema brasileiro, apoiado pela Embrafilme, conseguiu uma razoável penetração no mercado nacional e, até, no internacional. Uma interessante conjugação entre um tipo de cinema de autor, com linguagem mais pessoal e artesanal, e um cinema mais industrial, com filmes tecnicamente bem-feitos com grande esquema de encenação, foi exercitada em várias produções, que pareciam reverter a tendência à falta de público crônica que o nosso cinema sofria. Nesse sentido, os filmes de Cacá Diegues, *Xica da Silva* (1975), e Bruno Barreto, *Dona Flor e seus dois maridos* (1976), foram os principais referenciais da época. Este último, aliás, tornou-se o filme brasileiro mais visto de todos os tempos. Mesclando humor, comédia, erotismo e figurinos luxuosos, ao retratar duas mulheres singulares, esses filmes tornaram-se grandes sucessos de bilheteria até pelo fato de sugerirem uma abordagem mais leve da história, dos problemas e dos costumes brasileiros. Nesse sentido, mostravam um outro caminho para o cinema, diferente do Cinema Novo e retomando, num nível de produção mais sofisticada, a tradição do humor e da chanchada. Dentro de uma tradição do cinema mais popular, a partir de 1976, teve início o ciclo de filmes no estilo

A "caravana rolidei" redescobre o país, no filme *Bye, Bye Brasil* (Cacá Diegues, 1979).

circense protagonizados pelo grupo humorístico Os Trapalhões, liderados por Renato Aragão. Nos 25 anos seguintes, dezenas de filmes dos Trapalhões, apoiados no seu sucesso televisual, foram vistos por mais de cem milhões de espectadores.

Outro sucesso de crítica do ano de 1976, *Aleluia Gretchen,* de Silvio Back, propunha um caminho mais polêmico e crítico, ao tratar do nazismo no sul do Brasil, nos anos 1940. Na verdade, o filme aludia ao autoritarismo do regime militar, metaforicamente representado na cena final, quando os nazistas, com os uniformes negros da SS, dançam ao som de um samba. Entre os cineastas brasileiros mais consagrados, Nelson Pereira dos Santos, destacou-se realizando dois filmes importantes: *O amuleto de Ogum* (1975) e *Tenda dos milagres* (1978), fundindo o misticismo afro-brasileiro à critica à opressão social e política que sempre caracterizou sua obra.

A partir do sucesso de *Dona Flor e seus dois maridos,* incrementado pela grande popularidade alcançada na televisão, Sônia Braga despontou como a grande estrela do cinema brasileiro. Até o final da década de 1980, ela protagonizou dois grandes sucessos: *Tudo bem* (1978), de Arnaldo Jabor, um filme na linha da crítica à moral e às relações humanas da classe média brasileira, e *Dama do lotação* (1978), de Nevile D'Almeida, uma leitura superficial da obra de Nelson Rodrigues, muito próxima à pornochanchada.

Uma das grandes revelações dos anos 1970, como diretor de cinema, foi Hector Babenco, argentino radicado no Brasil que fez dois impressionantes filmes sobre a realidade social brasileira: *Lúcio Flávio, o passageiro da agonia* (1978) e *Pixote, a lei do mais fraco* (1980). Mergulhando na vida de marginais, adultos e mirins, Babenco construiu uma denúncia hiper-realista sobre o sistema carcerário e sobre a lógica de exclusão e violência entre os menores abandonados, produzida pela desigualdade socioeconômica aliada à falta de cidadania. Cacá Diegues realizou, no final da década, *Bye, Bye Brasil* (1979), que procurava conciliar crítica social e política com uma linguagem mais leve e bem-humorada. Esse filme, sucesso de público e de crítica, contava a história de uma caravana de artistas pobres, a Caravana Rolidei, que percorria o interior do Brasil. A partir desse tema, Diegues expunha os efeitos socioculturais da modernização conservadora brasileira dos anos 1970, que aumentara as disparidades regionais e sociais, já bastante graves, do Brasil.

O teatro também iniciou uma espécie de reconciliação com o público, mas por um caminho diferente. Enquanto o cinema, incluindo alguns diretores ligados ao Cinema Novo, tentava superar as deficiências tecnológicas e se abrir para uma linguagem mais comercial, visando atrair o grande público, o teatro brasileiro tentou conciliar a elaboração de textos consistentes, escritos por novos autores, com experiências cênicas ousadas, a cargo de diretores com um estilo pessoal bem marcado. Por outro lado, o que se verificou na segunda metade dos anos 1970 foi o surgimento de novos grupos que marcaram época e influenciaram o teatro dos anos 1980. Os mais importantes foram: Asdrúbal trouxe o trombone (RJ), *Pau Brasil* (futuro embrião do Centro de Pesquisas Teatrais, com o apoio do Sesc de São Paulo), *Mambembe*

Cena de "Macunaíma", dirigida por Antunes Filho, que marcou o teatro brasileiro em 1978.

(SP) e o *Teatro do ornitorrinco (SP)*. As produções e as trajetórias dos membros desses grupos – autores, diretores e atores – mostravam novas tendências na dramaturgia brasileira: a fusão entre linguagens diversas, por exemplo, mímica, música, circo, dança; a incorporação do deboche, da paródia e do humor corrosivo; a renovação dos recursos cênicos; linguagem cênica despojada, poucos objetos no palco, utilização dos espaços vazios, cenário econômico e valorização dos efeitos de iluminação.

Os grupos citados foram os responsáveis por grandes sucessos de público e crítica no final da década de 1980: O Asdrúbal protagonizou o impagável *Trate-me leão* (1978), inaugurando o teatro do besteirol, no qual piadas nonsense, situações surrealistas, imitação de tipos sociais e crítica de costumes se fundiam num espetáculo leve e bem-humorado, sem cair na banalidade. Aliás, essa será uma das matrizes de programas de televisão dos anos 1980 e 1990, como *TV Pirata*, *Brasil Legal* e *Casseta e Planeta*. O Teatro do Ornitorrinco deslanchou para o sucesso propondo uma outra leitura do dramaturgo alemão Bertold Brecht (*Ornitorrinco canta Brecht-Weil*, 1977 e *Mahagony*), a partir de uma ótica bem-humorada, enfatizando o clima de cabaré dos espetáculos brechtianos. O *Pau Brasil*, dirigido por Antunes Filho, marcou época no teatro brasileiro, com uma leitura carnavalesca e criativa de *Macunaíma* (1978), a partir da obra de Mário de Andrade. A peça trabalhava com um despojamento radical do palco, dando espaço para uma elaborada técnica gestual dos atores, articulados por um texto provocativo, ágil e bem-humorado.

Além disso, o clima de abertura e de mobilização crescente por liberdades democráticas traz de volta à cena diretores e autores consagrados, exilados ou proibidos pela censura. Voltam ao país, para agitar ainda mais o cenário teatral: José Celso Martinez Corrêa, criando seu novo grupo Uzyna-Uzona; Augusto Boal, com o sucesso *Murro em ponta de faca* (1978), fez um balanço dramático da experiência do exílio. Com o fim da censura prévia, em 1979, muitos textos proibidos foram encenados. Entre esses, destacamos *Rasga coração* (dirigido por José Renato, 1979), de Oduvaldo Vianna Filho, que trata do conflito de gerações entre pai e filho, militantes de esquerda e *Barrela* (1980), de Plínio Marcos, sobre a vida no seio da marginalidade.

Entre os autores que consolidaram sua carreira nos anos 1970, destacamos Carlos Alberto Sofredini, que escreveu dois grandes sucessos de crítica e público: *Vem buscar-me que ainda sou teu* (1977) e *Na carreira do divino* (1979), esta última um retrato poético da cultura "caipira" paulista e sua desagregação diante das novas realidades econômicas e sociais. Sofredini conseguiu conciliar, em seus textos, dramas humanos e sociais, numa linguagem poética e intimista. Outros nomes também consolidaram suas carreiras, como autores destacados: Fauzi Arap, Leilah Assumpção, Consuelo de Castro, Carlos Queiroz Telles, autor de *O muro de arrimo*, monólogo de um operário diante dos problemas da vida, Maria Adelaide Amaral, autora de *Bodas de papel*, sobre as ilusões da classe média na época do milagre econômico, e Naum Alves de Souza.

## POLÍTICA E CULTURA num tempo de mobilização: as patrulhas ideológicas

Apesar de o regime militar ainda controlar a situação social e política do país, a perspectiva de abertura e a cultura de oposição cada vez mais forte no seio da classe média, e mesmo das classes populares, estimulavam o debate político na sociedade brasileira. Em 1977, o movimento estudantil voltou às ruas, realizando grandes passeatas, e, em 1978, o movimento operário voltou a realizar grandes greves, começando pelo ABC paulista, onde se destacava a figura do líder sindical Luís Inácio "Lula" da Silva. A discussão política e a luta pela democracia deixavam os gabinetes palacianos e os pequenos círculos de militantes e intelectuais, e passavam a ocupar o primeiro plano entre os grandes temas em debate na sociedade brasileira.

No campo da cultura, sobretudo entre os artistas e intelectuais de esquerda, renovava-se o ímpeto de participação política mais intensa, passando de uma fase de resistência para uma fase mais crítica e agressiva, na medida em que as massas voltavam ao primeiro plano da vida nacional e, com isso, mudando completamente a correlação de forças entre a sociedade civil democrática e o Estado, dominado por um regime autoritário e coercitivo. Com a revogação oficial do AI-5, em 1º de janeiro de 1979, e o consequente fim da censura prévia, abriu-se uma nova era para a cultura brasileira. Músicas, peças de teatro e, sobretudo, livros de ficção, reportagem e ensaios históricos puderam ser publicados.

O mercado editorial, particularmente, foi beneficiado com o fim da censura. Foram lançados inúmeros títulos que narravam as experiências do exílio, da luta armada, da tortura. Os destaques do final da década foram os livros *O que é isso, companheiro?*, de Fernando Gabeira, e *Os carbonários*, de Alfredo Sirkis (ambos ex-guerrilheiros). Os dois livros narravam, de maneira bem-humorada na medida do possível, levando-se em conta a gravidade do tema, as experiências do final dos anos 1960, propondo uma reciclagem das ideias de esquerda e uma ampliação das preocupações políticas. Entrava em cena também a "política do corpo", a luta ecológica e a luta pela conquista de direitos das minorias (negros, mulheres, homossexuais), temas que dariam o tom da nova esquerda dos anos 1980. Ao lado dos *best-sellers* – os romances mais comerciais e de fácil leitura, a maioria estrangeiros –, memórias de exilados e livros de humanidades, por exemplo, sociologia, história e política, dominavam o mercado.

A imprensa escrita na segunda metade dos anos 1970 dividiu-se entre a grande imprensa – os jornais pertencentes às grandes empresas de comunicação – e a imprensa alternativa ou imprensa "nanica" – jornais independentes das grandes empresas, geralmente em formato menor, conhecido como tabloides). Por sua vez, a imprensa "nanica" dividia-se em jornais mais politizados, como o *Opinião*, *Movimento*, *Repórter*, *Coojornal*, *Em tempo*) e jornais mais comportamentais: *O Pasquim*, *O Bondinho*. A grande imprensa era hegemonizada pelos jornais do Rio de Janeiro (*O Globo*, *Jornal do Brasil*), de São Paulo (*O Estado de S. Paulo*, *Folha de S.Paulo*) e pelas revistas nacionais, como a *Veja* (Editora Abril). Tanto na imprensa "nanica" como na grande imprensa (ao menos nos jornais mais sérios e analíticos) o tema da política ganhou novo alento com a "abertura" e o avanço dos movimentos sociais. A imprensa "nanica" abria espaço para as ideias e personagens da esquerda, na medida em que muitos jornais serviam como um verdadeiro espaço de várias organizações político-partidárias ilegais. Alguns deles, como o *Trabalho*, *Convergência socialista*, *Hora do Povo* eram diretamente ligados a organizações de esquerda. Já a grande imprensa era, basicamente, porta-voz dos setores liberais da sociedade, uma ideologia cada vez mais forte entre as elites econômicas. Estes jornais, ocasionalmente, abriam espaço para as personalidades da esquerda, dentro de uma estratégia de aliança democrática contra o regime militar que marcava a oposição.

Na imprensa "nanica", além de *O Pasquim*, destacaram-se os jornais Opinião e Movimento, este último chegando a ter uma grande distribuição e aceitação em amplas faixas da população. No geral, os leitores desses jornais eram os estudantes e intelectuais de esquerda. Sua influência foi tão considerável que as bancas que os vendiam foram o alvo predileto da campanha de terrorismo de direita realizada entre 1979 e 1980, com uma série de depredações e atentados à bomba, feita pelos inimigos da abertura. Quanto à grande imprensa, destacamos ainda o Projeto Folha (1977), que reorganizou a linha editorial do jornal *Folha de S.Paulo*, transformando-o numa espécie de porta-voz da frente democrática contra o regime militar, e a criação da revista *IstoÉ* (1976). Esta última, aliás, apropriava-se da linguagem mais descontraída e do espírito crítico da imprensa alternativa, e seria um marco importante no jornalismo político e cultural até o início da década de 1980.

Nas artes, cujo debate muitas vezes era acompanhado pela imprensa mais engajada, o crescimento do interesse pela política gerou um grande debate público entre artistas de várias áreas, que ficou conhecido como o caso das "patrulhas ideológicas". O termo foi cunhado por Cacá Diegues, ao sentir-se policiado pela crítica cinematográfica de esquerda, que reclamava um posicionamento político mais definido nos filmes do cineasta, acusado de fazer filmes escapistas, como *Chuvas de verão*, uma visão lírica da velhice nos subúrbios cariocas. O debate explodiu por volta de 1977, e logo outros artistas, como Caetano Veloso e Gilberto Gil, se utilizaram da expressão para contra-atacar os críticos e o público de esquerda ortodoxa, que exigiam uma arte mais pedagógica, realista, exortativa e comprometida com a luta contra o regime militar. Estes artistas reconheciam a necessidade de realizar obras críticas, mas, para eles, o principal compromisso da arte deveria ser o de representar as diversas facetas da condição humana e da sociedade, sem se prender a uma linha político-partidária específica, considerada mais justa do que as outras.

A maioria dos artistas – músicos, literatos, poetas, cineastas, artistas de teatro – minimamente comprometida com a luta democrática estava presente nos grandes eventos e lutas da sociedade civil como, por exemplo, nos diversos *shows* de Primeiro de Maio, Dia do Trabalho, organizados sobretudo a partir de 1977, e na campanha popular pela Anistia, que movimentou a cena político-cultural de 1979. A MPB, nesses eventos e campanhas, tinha um papel central, atraindo milhares de pessoas para os shows, nos quais eram transmitidas mensagens políticas e reivindicações da sociedade civil como um todo e dos trabalhadores em particular. No ano de 1979 o Brasil foi tomado por uma febre de participação política, que se transformou em tema cotidiano e mote inspirador dos debates culturais e da produção artística. Como dizia a canção de Ivan Lins e Vítor Martins era "um novo tempo / apesar dos pesares"...

A CULTURA ALTERNATIVA e independente

Um movimento cultural significativo na cultura brasileira foi protagonizado pelos chamados independentes ou alternativos, ao longo dos anos 1970 e início dos anos 1980. A rigor, o uso da expressão "movimento" era mais aplicável em relação aos músicos. Estes, no final da década de 1970, e sobretudo a partir de 1979, conseguiram ocupar a mídia e chamar a atenção da crítica musical, com sua palavra de ordem: "contra todas as ditaduras: a ditadura política e a ditadura do mercado". Mas, além do campo musical, podemos localizar, entre 1977 e 1985, o auge de uma significativa "cultura independente e alternativa", que se manifestava não só na expressão artística, mas em posturas comportamentais diante da nova conjuntura social e cultural que o país atravessava, marcada por alguns elementos básicos: o clima de abertura política, a presença avassaladora de uma indústria cultural cada vez mais sofisticada e as novas perspectivas libertárias abertas pelo Partido dos Trabalhadores, partido de esquerda fundado em 1980.

O meio social universitário era a base da cultura alternativa e sofrera, nos anos 1970, uma grande expansão, incluindo cada vez mais jovens da classe média baixa, bastante influenciados pela indústria cultural. Essa nova juventude universitária era marcada por um conjunto de atitudes ambíguas e até contraditórias: recusa e, ao mesmo tempo, aceitação dos produtos e linguagens da cultura de massa; uma atitude política oscilando entre a vontade de participar e discutir os temas nacionais e um certo "descompromisso" em nome da liberdade comportamental e existencial; o culto à individualidade e às relações privadas e afetivas em detrimento das imposições coletivistas – que até então marcavam a cultura de esquerda; o recurso ao humor e ao deboche como formas de crítica social; a perda de referenciais de mudança revolucionária da realidade social, em nome de uma "revolução individual", que muitas vezes caía num vago autoconhecimento psicologizante ou num esoterismo místico. Outra marca dessa geração era a busca por novos espaços e formas de participação política, como os movimentos de minoria (homossexuais, mulheres, negros), o movimento ecológico e os movimentos culturais.

O movimento ou a cultura independente e alternativa, termos quase sempre complementares, tinha inúmeras facetas e é até arriscado propor uma interpretação histórica muito panorâmica. Mas, efetivamente, parece ter ocorrido uma convergência de características culturais e comportamentais que marcou uma geração de jovens do final dos anos 1970 e início dos anos 1980, jovens estes que haviam crescido sob a ditadura, sob o AI-5 e, mesmo possuindo o natural desejo de participação, até porque a ditadura ainda era uma realidade contundente, viam seus caminhos cerceados e limitados, seja por fatores políticos, seja por fatores econômicos. O movimento foi particularmente forte em São Paulo, onde até um bairro inteiro se notabilizou como o centro geográfico da vida independente e alternativa, a Vila Madalena. Ao lado do tradicional bairro do Bexiga, eram os centros da boêmia alternativa. A "Vila" concentrava a população estudantil de São Paulo devido a sua localização próxima à Cidade Universitária e por causa dos seus (outrora) aluguéis baratos. Bares, escolas, livrarias, repúblicas estudantis e de artistas dividiam espaço com famílias de classe média e velhos moradores, criando uma paisagem urbana acolhedora e aconchegante, numa época em que a cidade passava por mudanças profundas, com bairros inteiros sendo destruídos pela especulação imobiliária. Em outras capitais, como Rio de Janeiro, Belo Horizonte e Curitiba, os movimentos de música, teatro e poesia alternativos também tinham um espaço significativo da vida cultural e urbana.

Culturalmente falando, os independentes seguiam a tradição dos malditos e do desbunde, marcas da cultura jovem *underground* do início dos anos 1970. A abertura para o humor, as ousadias formais e a recusa dos grandes esquemas de produção e distribuição do produto cultural foram incorporadas como heranças do início da década. Na música, por exemplo, os cantores e instrumentistas optavam por gravar discos com seus próprios recursos, em pequenos estúdios e distribuí-los em lojas pequenas ou de porta em porta. Na poesia, essa atitude de despojamento e recusa viu-se traduzida pela geração mimeógrafo que, sem dinheiro para imprimir seus livros em gráficas industriais, utilizava-se dessa engenhoca barata e caseira para rodar os seus romances e poemas e distribuí-los pela cidade. Grupos de teatro amador ocupavam os espaços dos *campi* universitários, dos teatros decadentes dos centros urbanos ou realizavam *happenings* (intervenções cênicas), em bares e nas ruas. Em todas as áreas, algumas características eram comuns: a busca da linguagem despojada e espontânea; a recusa ao esquema comercial de gravadoras e editoras; o recurso ao deboche e à linguagem do *kitsch*, do mau gosto; a tentativa de romper as fronteiras entre estilo de vida, autoconhecimento e experiência estética.

Na poesia, nomes como Paulo Leminski e Alice Ruiz (PR), Cacaso, Chacal e Ana Cristina César (RJ), entre outros, encarnaram o "jovem poeta dos anos 1970". Com uma produção já destacada desde o início da década, sob a inspiração de Torquato Neto, companheiro dos tropicalistas em 1968, e de Wally Salomão (*Me segura que eu vou ter um troço*, 1972), a poesia jovem ganhou a mídia e as ruas na segunda metade da década. Os sinais de vitalidade e presença da poesia jovem brasileira eram muitos: dezenas de revistas literárias artesanais em praticamente todos os estados brasileiros, pequenas editoras caseiras, feiras poéticas e outros eventos, grupos especializados em *happening* e declamação – como o Nuvem Cigana, no Rio de Janeiro, e o Poetasia, em São Paulo.

No início dos anos 1980, essa febre de poesia e literatura jovem e alternativa chegou às grandes editoras. Em São Paulo, a Editora Brasiliense saiu na frente, organizando coleções de poesia e prosa – Cantadas Literárias – e traduzindo clássicos da literatura jovem, como os *beatniks* norte-americanos dos anos 1950 e 1960. Livros como *Feliz ano velho*, de Marcelo Rubens Paiva e *Morangos mofados*, de Caio Fernando Abreu, marcaram época, chegando a várias edições consecutivas. Enquanto o primeiro livro, apresenta as memórias de um jovem típico dos anos 1970, filho de um desaparecido político – o deputado Rubens Paiva –, que se vê privado de sua juventude a partir de um acidente que o deixa paralítico, *Morangos mofados* é um retrato poético da solidão e da busca de novas experiências amorosas e existenciais, temas que tanto marcaram a juventude dos anos 1970 e 1980.

Na música, a febre independente e alternativa foi maior ainda. Desde as polêmicas participações do músico Arrigo Barnabé e da Banda Sabor de Veneno no Festival Universitário da TV Cultura

(1978) e no Festival de MPB da TV Tupi de São Paulo (1979), a música independente ganha destaque na mídia. Com suas harmonias atonais, letras nonsense inspiradas nas histórias de ficção científica, Arrigo chocava as plateias, exigindo uma renovação dos padrões de escuta musical. Ele e outros músicos propunham uma linguagem poética e musical anticonvencional, mesclando música erudita de vanguarda, *rock* e MPB. Assim, essa nova música (também conhecida como "vanguarda paulista") parecia retomar as experiências mais radicais do Tropicalismo, que a MPB mais aceita no mercado tinha deixado de lado. Arrigo era o mais destacado e cultuado artista do movimento, compondo e interpretando peças individuais e óperas *pop*, como o histórico disco *Clara Crocodilo*, sem melodia reconhecível – considerada atonal, sem eixo harmônico central –, trabalhadas a partir de arranjos ousados e inovadores, com letras inspiradas em histórias em quadrinhos e programas de rádio. Numa outra perspectiva, esteticamente tão inovadores quanto Arrigo Barnabé, desenvolvendo uma proposta de fusão entre palavra falada e melodia, o Grupo Rumo, formado por Luis Tatit, Ná Ozetti, Hélio Suskind, entre outros, também marcou época, realizando um dos trabalhos mais originais da MPB, embora tenha permanecido pouco conhecido do grande público. Vindos de Mato Grosso, Tetê Espíndola e o Lírio Selvagem e Almir Sater traziam a contribuição da música pantaneira para o cenário da vanguarda paulista. Na virada da década Itamar Assumpção, autor de letras criativas, colocadas em músicas que fundiam o samba, o *pop* e o *reggae*, seguiria uma carreira bastante aclamada pela crítica musical.

No Rio de Janeiro, a música independente aglutinou grupos e músicos individuais importantes. O pioneiro foi Antonio Adolfo que produziu o primeiro LP independente da história, propriamente chamado *Feito em Casa* (1977); Luli e Lucina, dupla de cantoras, compositoras e instrumentistas; o grupo Antena Coletiva e A Barca do Sol, que revelou os talentos da cantora Olívia Byngton e do violoncelista Jaques Morelembaum, e o grupo de maior sucesso do movimento independente, o Boca Livre (Zé Renato, Cláudio Nucci, Maurício Maestro, David Tygel) formado em 1978 e que explodiu em 1980, com um LP que vendeu mais de oitenta mil cópias, feito notável para um álbum sem o apoio de uma grande gravadora e distribuído de porta em porta.

Mas a música independente não foi privilégio do Rio de Janeiro e São Paulo. Nomes importantes surgiram em Minas Gerais, com destaque para a cantora Titane, de Belo Horizonte, e artistas ligados ao vigoroso movimento cultural do Vale do Jequitinhonha; no Ceará, Marlui Miranda tomou-se referencial na coleta e gravação de cantos indígenas; na Bahia, a música de carnaval sempre teve um vigor próprio e independente, antes de ser descoberta pelo Brasil, entre outros estados. Em Pernambuco e Paraíba, o Movimento Armorial, criado em 1970 por Ariano Suassuna, atravessava a década mesclando o folclore musical com a música erudita, somando-se às inúmeras iniciativas culturais locais – no teatro, na poesia, no artesanato e na música popular, sobretudo – que marcavam a vida daqueles dois estados desde o início da década de 1960.

Na virada da década de 1970 para a década de 1980, havia uma considerável rede de produção musical alternativa, fora do esquema monopolista da indústria fonográfica brasileira: os selos Kuarup (RJ), Artezanal (RJ), Lira Paulistana e Som da Gente (SP), Bemol (MG), entre outros, tiveram um importante papel na disseminação da música, fora dos grandes circuitos comerciais, assim como os teatros Lira Paulistana e Sesc-Pompeia, que no começo da década de 1980, foram verdadeiros templos da música e do movimento independente e alternativo.

No campo musical os independentes, apesar do impacto no começo da década de 1980, ficaram cercados entre o sucesso comercial da MPB "clássica" e a explosão renovadora do *rock* brasileiro dos anos 1980, que logo foi absorvido pela indústria fonográfica, passando a atrair o interesse da juventude. O movimento independente acabou se diluindo, sem deixar maiores rastros, a não ser o trabalho individual, muitas vezes como arranjadores e produtores dos músicos que o integraram. Mesmo na poesia e em outras artes, como o teatro, o movimento independente perdeu vigor e capacidade de intervenção na cena cultural, a partir de meados dos anos 1980.

A perspectiva *underground* e o espírito libertário dos independentes passou para o movimento cultural da periferia das grandes cidades, sob outras bases sociológicas, estéticas e ideológicas. São exemplos desse novo fenômeno independente dos anos 1990, os *rappers* paulistanos, as galeras funks do Rio de Janeiro ou o movimento *mangue beat* de Recife.

# Considerações finais

Por mais que se queira produzir o novo, não se pode esquecer a riqueza e as alternativas estéticas e ideológicas que a cultura brasileira produziu ao longo dos séculos e, particularmente, ao longo dos últimos cinquenta anos. Após 1945, o fenômeno da cultura de massa acabou por catalisar a produção cultural, invadindo até áreas mais restritas à elite letrada, como a prosa e a poesia. Se isso disseminou produtos antes limitados a poucos, por outro lado fez com que os produtos fossem mais rapidamente consumidos e esquecidos, dificultando a construção de uma memória vigorosa e de tradições estabelecidas.

Num país que é acusado de não possuir memória é fundamental que se lembre das manifestações culturais, em suas diversas áreas, estilos e níveis, como parte de um patrimônio comum, fundamental para que o cidadão possa se reconhecer como parte de uma sociedade e do mundo em que vive.

Em qualquer sociedade, o campo cultural é um dos elementos estruturais básicos, tão importante quanto a vida política e econômica. Quando negligenciamos o passado da nossa cultura ou a vivemos unicamente dentro da esfera do lazer imediato e descartável, todas as outras esferas da sociedade perdem vitalidade. Num mundo globalizado, lembrar das obras que os nossos cidadãos escreveram, compuseram, filmaram, pintaram, esculpiram, encenaram significa dizer ao mundo que existimos e que temos muito a oferecer para a cultura da humanidade.

Esperamos que este breve e um tanto limitado panorama sobre a cultura brasileira recente tenha ajudado o leitor a conhecer um pouco mais sobre o nosso patrimônio comum, sempre ameaçado pelo fantasma do esquecimento.

# Sugestões para leitura

## Memórias e biografias

AMADO, Jorge. *Gabriela, cravo e canela*. Rio de Janeiro: Record, 1956.

AUGUSTO, S. *Esse mundo é um pandeiro*: a chanchada de Getúlio a JK. São Paulo: Companhia das Letras, 1989.

BARCELLOS, Jarusa. *CPC da UNE*: uma história de paixão e consciência. Ministério da Cultura: Brasília, 1995.

BORGES, M. *Os sonhos não envelhecem. História do Clube da Esquina*. São Paulo: Geração Editorial, 1998.

CALADO, C. *Tropicália*: história de uma revolução musical. São Paulo: Editora 34, 1998.

CALLADO, Antonio. *Quarup*. Rio de Janeiro: Nova Fronteira, 1967.

CASTRO, Ruy. *Chega de saudade*: a história e as histórias da Bossa Nova. São Paulo: Companhia das Letras, 1990.

FIGUEIREDO, Anne C. *Liberdade é uma calça velha, azul e desbotada*: publicidade, cultura de consumo e comportamento político no Brasil (1954-1964). São Paulo: FFLCH-USP /Hucitec, 1996.

GABEIRA, F. *O que é isso, companheiro?* Rio de Janeiro: Codecri, 1980.

GOMES, D. *Apenas um subversivo*. Rio de Janeiro: Bertrand Brasil, 1999.

HOLLANDA, H. B. *Impressões de viagem*: CPC, da vanguarda ao "desbunde". São Paulo: Brasiliense, 1981.

LENHARO, A. *Os cantores do rádio*. Campinas: Editora da Unicamp, 1995.

MELLO, Zuza H. & SEVERIANO, J. *A canção no tempo – 1956/1985*. v. 2, São Paulo: Editora 34, 1998.

MOSTAÇO, E. *Teatro e política: Arena, Oficina e Opinião*. Uma interpretação da cultura de esquerda. São Paulo: Proposta Editorial, 1982.

ORTIZ, R. *A moderna tradição brasileira*. São Paulo, Brasiliense, 1988

PAIVA, Marcelo Rubens. *Feliz ano velho*. São Paulo: Brasiliense, 1980.

RODRIGUES, Nelson. *O óbvio ululante*. São Paulo: Companhia das Letras, 1993.

VELOSO, C. *Vereda tropical*. São Paulo: Companhia das Letras, 1998.

XAVIER, I. *Alegorias do subdesenvolvimento*. Cinema Novo, Tropicalismo e Cinema Marginal. São Paulo: Brasiliense, 1988.

## Textos para teatro

AMARAL, Maria Adelaide. *Bodas de papel*, 1978.
ANDRADE, Jorge. *Vereda da Salvação*, 1965.
ASSUMPÇÃO, Leilah. *Fala baixo, senão eu grito*, 1969.
BOAL, Augusto. *Murro em ponta de faca*, 1978.
CASTRO, Consuelo. *À prova de fogo*, 1969.
GOMES, Dias. *O pagador de promessas*, 1960
GUARNIERI, *Gianfrancesco. Eles não usam black-tie*, 1958.
_______. Um grito parado no ar, 1973.
HOLLANDA, F. B. de e GUERRA, R. *Calabar, o elogio da traição*, 1973.
HOLLANDA, F. B. de e PONTES, P. *Gota d'água*, 1975.
MARCOS, Plínio. *O abajur lilás*, 1975.
RODRIGUES, Nelson. *O vestido de noiva*, 1943.
_______. *Boca de ouro*, 1959.
_______. *Toda Nudez será castigada*, 1963.
SOFREDINI, Carlos Alberto. *Na carreira do divino*, 1979.
VIANNA FILHO, Oduvaldo. *Corpo a corpo*, 1971.
_______. *Rasga Coração*, 1980.
SUASSUNA, Ariano. *O auto da compadecida*, 1965.
TELLES, Carlos Queiroz. *Muro de arrimo*, 1975.

## Filmes (todos disponíveis em vídeo)

*Bye, Bye Brasil.* Carlos Diegues. Brasil, 1979.
*Deus e o Diabo na terra do sol.* Glauber Rocha. Brasil, 1964.
*Dona Flor e seus dois maridos.* Bruno Barreto. Brasil, 1976.
*Independência ou morte.* Carlos Coimbra. Brasil, 1972.
*O Bandido da Luz Vermelha.* Rogério Sganzerla. Brasil, 1968.
*O desafio.* Paulo C. Sarraceni. Brasil, 1965.
*O pagador de promessas.* Anselmo Duarte. Brasil, 1962.
*Os fuzis.* Ruy Guerra. Brasil, 1964.
*Os inconfidentes.* Joaquim P Andrade. Brasil, 1972.
*Pixote, a lei do mais fraco.* Hector Babenco. Brasil, 1980.
*Rio, 40 graus.* Nelson Pereira dos Santos. Brasil, 1954.
*Rio, Zona Norte.* Nelson Pereira dos Santos. Brasil, 1957.
*Terra em transe.* Glauber Rocha. Brasil, 1967.
*Toda nudez será castigada.* Arnaldo Jabor. Brasil, 1973.
*Vidas secas.* Nelson Pereira dos Santos. 1963.
*Xica da Silva.* Carlos Diegues. Brasil, 1976.

## Álbuns fonográficos (títulos originais) *

BOSCO, João. *Caça à raposa*. RCA/Victor, 1975 (CD BMG).

_______. *Galo de briga*. RCA/Victor, 1976 (CD BMG).

CARLOS, Roberto. *Jovem Guarda*. CBS, 1965 (CD Sony).

GIL, Gilberto. *Refazenda*. WEA, 1975 (CD WEA).

_______. *Refavela*. WEA, 1977 (CD WEA).

GILBERTO, João. *Chega de saudade*. Odeon, 1959 (incluído em coletânea de CD "O Mito", EMI).

GONZAGA Jr., Luís. *Gonzaguinha da vida*. EMI/Odeon, 1977 (CD EMI).

HOLLANDA, F. B. de. *Chico Buarque de Hollanda*. RGE, 1966 (CD RGE).

_______. *Construção*. Philips, 1971 (CD PolyGram).

_______. *Sinal fechado*. Philips, 1974 (CD PolyGram).

_______. *Meus caros amigos*. Philips, 1976 (CD PolyGram).

_______. *Chico Buarque de Hollanda*. Philips, 1978 (CD PolyGram).

LINS, Ivan. *Somos todos iguais esta noite*. EMI, 1977 (CD EMI).

NASCIMENTO, Milton. *Clube da esquina 1*. EMI/Odeon. 1972 (CD EMI).

_______. *Minas*. EMI/Odeon, 1975 (CD EMI).

_______. *Geraes*. EMI/Odeon, 1977 (CD EMI).

_______. *Clube da esquina 2*. EMI/Odeon, 1978 (CD EMI).

REGINA, Elis. *Samba eu canto assim*. Philips, 1965 (CD PolyGram).

_______. *Elis e Tom*. Philips, 1974 (CD PolyGram).

_______. *Falso brilhante*. Philips, 1975 (CD PolyGram).

_______. *Elis, essa mulher*. WEA, 1979 (CD WEA).

SEIXAS, Raul. *Krig-Há, Bandolo!*. Philips, 1973 (CD PolyGram).

VELOSO, Caetano et alli. *Tropicália ou panis et circensis*. Philips, 1968 (CD PolyGram).

VELOSO, C. & HOLLANDA, F. B. de. *Caetano e Chico, juntos e ao vivo*. Philips, 1972 (CD Polygram).

VELOSO, C. *Muito*. Philips, 1978 (CD PolyGram).

* A maioria das canções mais significativas dos anos 50 e 60 estão incluídas em inúmeras coletâneas lançadas em CD, por várias gravadoras, de cantores ou compositores diversos. Entre eles, sugerimos: Ângela Maria, Adoniran Barbosa, Carlos Lyra, Cauby Peixoto, Dick Farney, Dolores Duran, Edu Lobo, Emilinha Borba, Geraldo Vandré, Lúcio Alves, Lupicínio Rodrigues, Marlene, Maysa, Nara Leão, Nelson Gonçalves e Sérgio Ricardo.